# Einleitung

In unseren Breiten stellen Wetterextreme eine typische Erscheinung dar. Zu den eindrucksvollsten und furchterregendsten Wetterphänomenen zählen die Gewitter. Voraussetzung für ihre Entstehung ist eine hochreichende labile Schichtung der Atmosphäre. Durch die Reibung unzähliger Wassertropfen und Eispartikelchen entstehen Spannungsunterschiede in der Atmosphäre, die durch elektrische Entladungen in Form von Blitzen und Donner ausgeglichen werden. Begleitet werden sie meist von starken Niederschlägen. Die zerstörerische Kraft der Gewitter kann sogar eine friedliche Landschaft in eine regelrechte Todesfalle verwandeln (Stürme, plötzliche Hochwasser, exzessive Blitzschläge).

Unkenntnis macht aus jedem von uns ein potentielles Opfer. Ist es nicht zu unserem eigenen Schutz wünschenswert, daß wir uns unserer Rolle bewußt werden?

Dieses Buch strebt keine vollständigen Erklärungen an – die Interpretation des Himmels ist sehr komplex. Interessierten Personen sollen jedoch die Ergebnisse von aktuellen Wetterbeobachtungen nahegebracht und Regeln, die die Vorhersage der Intensität der Gewitterphänomene ermöglichen, vermittelt werden. Gewitter sind optisch mit bestimmten Wolkentypen verbunden, verständlicherweise wird daher ein großer Teil dieses Buches der Wolkenbeobachtung gewidmet.

Die Vorhersage von Gewittern ist eine sehr komplexe Wissenschaft. Wenn sich eine Gewitterwolke ankündigt, ist es sozusagen unmöglich, genau festzulegen, wie sie sich über einem ganz bestimmten Standort entwickeln wird. Der erfahrene Beobachter kann unter diesen Umständen jedoch eine relativ zuverlässige Prognose wagen, wenn er – nach einer detaillierten Beobachtung des Himmels – die meteorologischen Tagesgegebenheiten mit seinen persönlichen Schlußfolgerungen geschickt verbindet.

Der letzte Teil des Buches erläutert die Gefahren eines Gewitters bezogen auf die gängigsten Landschaftstypen und empfiehlt Vorsichts- und Verhaltensmaßnahmen.

Eine erschöpfende Wolkenklassifikation würde etwa ein fünffaches Volumen in Anspruch nehmen. Das Augenmerk dieses Werkes liegt daher nur auf den Gewitterwolken sowie ungefährlicheren Wolken, die man jedoch unbedingt kennen sollte. Aus Gründen der Übersichtlichkeit beschränken sich die Wolkennamen auf die Gattung und die Art, falls notwendig manchmal auch auf die Unterart.

# Hinweise zur Benutzung

1. Beobachten Sie aufmerksam die Wolkenformen am Himmel.

2. Schlagen Sie bei der Wolkenklassifikation auf den Seiten 8 und 9 nach, zu welcher Art, Gattung oder Abweichung die beobachteten Wolken gehören.

3. Wenn Sie die Wolke identifiziert haben, vergleichen Sie sie mit den häufigsten Wolkenprofilen auf den Seiten 13 bis 15. Die Zahlen unterhalb der Abbildungen verweisen auf bestimmte Bildseiten, die Gemeinsamkeiten bezüglich des Wolkenprofils aufweisen, auch wenn es sich teilweise um sehr unterschiedliche Wolken handelt.
   Seien Sie sich im klaren, daß die Wolkenkombinationen fast unbegrenzt sind, und daß die Form einer Wolke nur einen mehr oder weniger kurzen Moment repräsentiert.

4. Ziehen Sie bei einer Gewitterform mit elektrischen Erscheinungen die Seiten 123 bis 143 zu Rate.
   Beachten Sie, daß die Kommentare zur Fotoanalyse und zur möglichen Entwicklung jeweils nur in Zusammenhang mit der Betrachtung der Wetterlage gültig sind.

5. Auf den Seiten 144 bis 150 können Sie mehr über die von Gewittern verursachten Schäden erfahren.

6. Die Gefahren der Gewitter und die zu treffenden Vorsichtsmaßnahmen werden auf den Seiten 151 bis 154 vorgestellt.

7. Der Anhang umfaßt ein Lexikon, eine Bibliographie, nützliche Adressen sowie ein Register.

Meteorologische Grundkenntnisse und das Verfolgen von Wetterberichten sind empfehlenswert, insbesondere für Wanderer.

# Aufbau einer Buchseite

**Cumulonimbus capillatus incus**

78

**Datum:** 30 Juni 1987. 312 m. Später Nachmittag.

**Wetterlage:** Hochdruckgebiet (1020 hPa). Eine Kaltfront im Nortden zieht Richtung Südosten. Schwacher Wind. Temperatur 31 °C.

**Vorhersage:** Risiko heftiger Gewitter.

**Entfernung:** Mehr als 100 km Richtung Süd-Südost.

**Bildanalyse:** Bestimmte Charakteristika kündigen ein ausgedehntes und schweres Gewitter an: sehr dichter und klar abgegrenzter Amboβ (A1-A2); starke Quellungen (Cumulonimbus calvus) auf der Rückseite (B3-B4) erlauben eine konstante Erneuerung des Gewitters im Südwesten; sehr hoher Gipfel (oberhalb von 11 000 Meter). Sehr heftiges Hagelgewitter mit starker Wahrscheinlichkeit eines trockenen Gewitters in der Zone A2-A3.

**Richtung/Geschwindigkeit:** Sehr langsam, West-Südwest → Ost-Nordost.

**Entwicklung:** Lang andauerndes Gewitter, das sich möglicherweise auf der Rückseite stark ausdehnt.

**Gefahr:** Keine, sofern der Himmel in den anderen Richtungen klar bleibt.

**Situation nach dem Foto:** Starke Ausdehnung des Gewitters (siehe Seite 79). Am Abend Gewitter am Ort. Am Anfang der Nacht dann Richtung Nordost.

*Siehe Seiten 79, 82*

*Siehe Seiten 72, 126* 2

Seitenzahl

Datum, Höhe über dem Erdboden, Tageszeit

Wettervorhersage am Tag der Aufnahme

Bildanalyse und Bemerkungen zur Situation zum Aufnahmezeitpunkt

Geschwindigkeit und Zugrichtung der Wolke

Lokale Wetterlage nach der Aufnahme des Fotos

Verweis auf andere Aufnahmen am gleichen Tag

Wolkenbezeichnung

Markierungen zum Auffinden eines bestimmten Bildausschnitts

Tatsächliche Wetterlage am Tag der Aufnahme

Entfernung der Wolke vom Beobachter

Mögliche oder wahrscheinliche Wetterentwicklung bei diesem Wolkenbild

Gefahr, die von diesem Wolkenbild für den Beobachter ausgeht

Verweis auf andere Aufnahmen vom Vortag oder folgender Tage

# Was ist eine gewittrige Störung?

6 Eine gewittrige Störung wird durch das Zusammentreffen einer warmen Luftmasse (tropische Luft) und einer kalten Luftmasse (Polarluft) verursacht. Das folgende Schema zeigt, wie eine Warmluftzunge in Kaltluft eindringt.

Grundsätzlich setzt sich eine Störung aus einer Warmfront (im Sommer mehr oder weniger ausgeprägt), einem Warmsektor, einer Kaltfront, Rückseitenwetter und manchmal einer sekundären Kaltfront zusammen. Je enger der Kontaktbereich zwischen der Warm- und Kaltluft ist, um so heftiger können sich die Gewitter entwickeln (V-förmige Isobaren). Der Durchzug einer Front äußert sich in einem Wiederanstieg des Drucks, einem Temperatursturz und einer Winddrehung (zum Beispiel von Südwest nach West oder Nordwest).

## Sommerliche gewittrige Störung

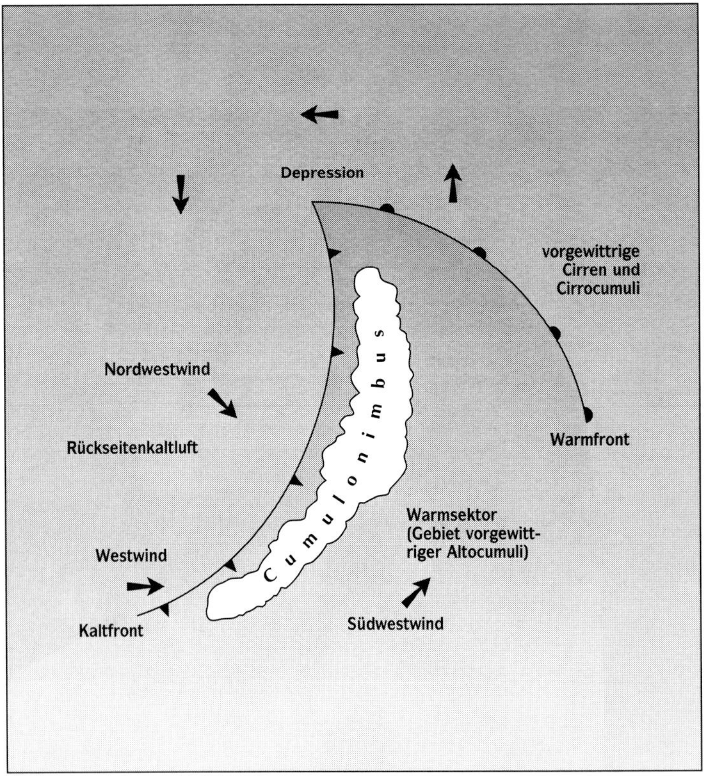

# Hauptarten von Gewittern



Gewitter entstehen durch Konvektionsbewegungen, die an hochreichende, feuchtlabile Schichtungen gebunden sind. Diese können unterschiedliche Ursachen haben, die eine Einteilung in folgende Gewitterarten erlauben:

## Luftmassengewitter

Durch starke Sonneneinstrahlung wird im Sommer bodennahe, feuchtigkeitsgesättigte Luft erhitzt und steigt in kältere Höhen auf. Die ausgeprägte Konvektion ruft Wärmegewitter hervor. Infolge der Temperaturverteilung entstehen diese Gewitter über Land vor allem am Nachmittag. Über dem Meer löst die Konvektion hauptsächlich während der Nacht Gewitter aus.

## Frontgewitter

Sie treten in geringerer Abhängigkeit von der Jahreszeit vor allem bei heranrückenden Kaltfronten auf, gelegentlich aber auch an Warmfronten. An Kaltfronten schiebt sich die Kaltluft unter die leichtere Luft des Warmsektors. Die Labilisierung der Schichtung führt zu einer hochreichenden Konvektionsbewölkung (Cumulonimben). Obwohl Frontgewitter nicht an eine bestimmte Tageszeit gebunden sind, treten sie vorwiegend am Nachmittag auf, da sie hier mit den oben geschilderten Konvektionsbewegungen zusammenwirken. Im Gegensatz zu den Wärmegewittern kündigen Frontgewitter oft einen deutlichen Wetterwechsel an, da sie an der Grenze von unterschiedlichen Luftmassen auftreten. Warmfrontgewitter werden durch das Aufgleiten von wärmeren Luftschichten auf Kaltluft verursacht.

## Orographische Gewitter

Im Gegensatz zu den Frontgewittern werden bei orographischen Gewittern feuchtwarme Luftmassen an Gebirgshindernissen gehoben und labilisiert.

Neben den oben genannten meteorologischen Bedingungen können Gewitter auch durch eine Verschärfung der vertikalen Temperaturunterschiede infolge von Advektion oder Ausstrahlung kühlerer Luft in höheren Schichten oder Konvergenz der Luft in tieferen Schichten verursacht werden.

# Wolkenklassifikation

## 8 Wolkengattungen

### • Oberes Stockwerk (5 bis 13 km)

**Cirrus:** faserige, fadenförmige, weiße Federwolke aus Eiskristallen, deren Form Haarlocken ähnelt.
**Cirrocumulus:** Schäfchenwolke; Wolkenbänke aus kleinen, weißen Flöckchen.
**Cirrostratus:** Milchiger, lichtdurchlässiger Wolkenschleier aus Eiskristallen, der manchmal Halo-Erscheinungen um Mond und Sonne hervorruft.

### • Mittleres Stockwerk (2 bis 5 km)

**Altocumulus:** Aus gräulichen Wolkenballen, -schuppen oder -walzen zusammengesetzte grobe Schäfchenwolke, die oft in Bänken angeordnet ist.
**Altostratus:** Dichte, gräuliche Schichtwolke, oft gleichmäßig und undurchsichtig, die die Sonne nur wenig durchscheinen lässt.

### • Unteres Stockwerk (0 bis 2 km)

**Stratocumulus:** Aus Wolkenschollen, -ballen, -walzen oder -bänken zusammengesetzte dunkelgraue Schichtwolke.
**Stratus:** Gleichmäßig graue, niedrige Schichtwolke, die Nebel oder feine Niederschläge verursacht und manchmal zerfetzt ist.

### • Mehrere Stockwerke umfassende Wolken

**Nimbostratus:** Regenwolke. Graue, dunkle Schichtwolke, unscharfe Konturen.
**Cumulus:** Haufenwolke mit flacher Basis im mittleren oder unteren Stockwerk, deren vertikale Entwicklung an die Form von Türmen, Blumenkohl oder Baumwolle erinnert.
**Cumulonimbus:** Im mittleren oder unteren Stockwerk entstehende Gewitterwolke, die meistens bis in das obere Stockwerk hinaufragt.

## Wolkenarten

**Fibratus:** Faserig, fadenförmig.
**Uncinus:** Haken-, kommaförmig.
**Spissatus:** Dicht, bedeckt eine größere Fläche.
**Castellanus:** Aus einer gemeinsamen Basis herausragende Wolkentürmchen.
**Floccus:** In Form von kleinen Bällchen oder Flocken.
**Stratiformis:** Erstreckt sich über ausgedehnte Schichten oder Felder.
**Nebulosus:** Gleichförmiger Schleier, der das Himmelsblau bzw. Licht verdunkelt.
**Lenticularis:** Sich überlagernde Schichten, linsen- oder mandelförmig.
**Fractus:** Durchbrochene Wolkenfetzen.
**Humilis:** Ohne vertikale Ausdehnung, flach.
**Mediocris:** Mäßige vertikale Ausdehnung mit wenig ausgeprägten Höckern.
**Congestus:** Starke vertikale Ausdehnung in Form von Türmen oder Blumenkohl.
**Calvus:** Kahl, der obere Teil der Cumuluswolke verliert seine quellende Form, bevor er die Form eines Ambosses annimmt.
**Capillatus:** Faseriger, ausgefranster Schirm auf einer Cumulonimbus-Spitze.

## Wolkenunterarten

**Intortus:** Verschachtelte Fäden.
**Vertebratus:** Wirbelsäulen- oder fischgrätenförmig.
**Undulatus:** Wellige, parallel angeordnete Wolkenwalzen.
**Radiatus:** Scheinbar gegen den Horizont zusammenlaufend.
**Lacunosus:** Durchlöchert, netzmaschenähnliche Wolkenlöcher mit ausgefransten Rändern.
**Duplicatus:** Übereinanderliegende Schichten in verschiedenen Höhen.
**Translucidus:** Läßt die Sonne durchscheinen.
**Perlucidus:** Lücken lassen den Himmel deutlich durchscheinen.
**Opacus:** Undurchsichtig, verdeckt den Mond oder die Sonne.

### • Sonderformen dieser Wolken

**Incus:** Amboßförmig
**Mammatus:** Mit warzenförmigen, herabhängenden Quellungen.
**Virga:** Niederschlags-Fallstreifen, die den Boden nicht erreichen.
**Arcus:** Bogenförmige, horizontale Wolkenwalze, wirkt dunkel und bedrohlich.
**Tuba:** Tricherförmige Wolkensäule, entstammt der Basis einer Gewitterwolke.
**Pileus:** Begleitwolke in Form einer „Kappe", vor allem über Cumulonimben.
**Velum:** Horizontal stark ausgebildeter „Wolkenschleier", der sich unter den gleichen Bedingungen entwickelt wie die Pileus.
**Pannus:** Zerissene Wolkenfetzen unterhalb einer anderen Wolke, vor allem unter Cumulonimben.
**Genitus:** Entstanden aus einer anderen Wolke (z. B. Altocumulus, entstanden aus einer Cumulus = Altocumulus cumulogenitis).
**Mutatus:** Formt sich in eine andere Wolke um (z .B. Altocumulus cumulomutatus).

# Ursprung der Gewitter

Die Troposphäre ist die wetterwirksame Schicht der Atmosphäre. Ihre Grenzschicht zur Stratosphäre bildet die Tropopause, die von einer mittleren Höhe von 17 km am Äquator fortschreitend bis auf 6-8 km nahe den Polen abnimmt. In unseren Breiten variiert ihre Höhe in deutlicher Abhängigkeit von den Luftmassen und liegt im Sommer bei einer mittleren Höhe von 10-12 km. In dieser Höhe liegt die Obergrenze der Gewitterwolken. Die Troposphäre besteht aus Luftmassen mit unterschiedlicher Temperatur, Luftdruck und -feuchtigkeit. Sie sind der Ursprung des gesamten Wettergeschehens, wie zum Beispiel Schnee, Regen, Wind und natürlich Gewitter. Grundsätzlich hängt die Stärke von Störungen proportional zu den Gegensätzen zwischen den Luftmassen ab. Dieses Gesetz gilt folglich auch für die Heftigkeit der Gewittererscheinungen.

# Räumliche und jahreszeitliche Verteilung von Gewittern



Gewitter treten das ganze Jahr über auf. Am häufigsten und intensivsten jedoch zwischen Ende April und Ende Oktober. Die jahreszeitliche Verteilung umfaßt sieben gut abgrenzbare Phasen:

**1. Januar bis Anfang März:**
Wintergewitter vor allem über der Nordsee sowie über den Inseln im Mittelmeer.

**2. Ende März bis April:**
Rückseitengewitter, Gewitterschauer, sekundäre Kaltfronten über West- und Mitteleuropa.

**3. Mai bis Mitte Juni:**
Günstige Monate für die Entwicklung sehr heftiger Gewitter über ganz Europa; die Luft ist in der Höhe noch sehr kalt und am Boden warm. Sehr aktive Gewitter über das gesamte West- und Mitteleuropa.

**4.Ende Juni bis Mitte August:**
Sehr zahlreiche Konvektionsgewitter über den Gebirgsmassiven und den Gebieten mit Kontinentalklima. Gewitteraktive Fronten durchziehen ganz Europa. Nur die Mittelmeerküste bleibt mehr oder weniger geschützt. Stark elektrisch geladene Wärmegewitter.

**5. Zweite Augusthälfte:**
Zahlreiche heftige Gewitter. Sehr aktive Fronten, insbesondere über den Alpen, den Apenninen, dem Zentralmassiv und den Pyrenäen.

**6. September bis Oktober:**
Im September nimmt die Zahl der Gewittertage ab, ausgenommen ist das Zentralmassiv, wo eine deutliche Steigerung der Gewitteraktivität mit heftigen Niederschlägen zu verzeichnen ist. Starke Gewitter auch über Spanien und vor allem über Italien.

**7. November bis Dezember:**
Gewitter über dem Mittelmeerraum. Insgesamt läßt sich eine Verlagerung der Gewitter von Nordwesteuropa im Frühjahr nach Südosteuropa im Herbst erkennen. Korsika wird das ganze Jahr über von Gewittern heimgesucht.

**Gebiete mit den intensivsten Blitzschlägen:**
Französisches Zentralmassiv, Voralpen und Südalpen, Po-Ebene, Piemont und Tessin.
**Gebiete mit der stärksten Wirbelsturmgefahr:**
Nord- und Mittelfrankreich, Südostengland.
**Gebiete mit den meisten gewittrigen Hochwassern:**
Alpen, Südfrankreich, Spanien und Italien.
**Gebiete mit den heftigsten Niederschlägen:**
Pyrenäen, Alpen und südliche Voralpen, Südfrankreich und Gebirge Korsikas, Spanien und Italien.

# Mittlere jährliche Anzahl der Gewittertage in Europa



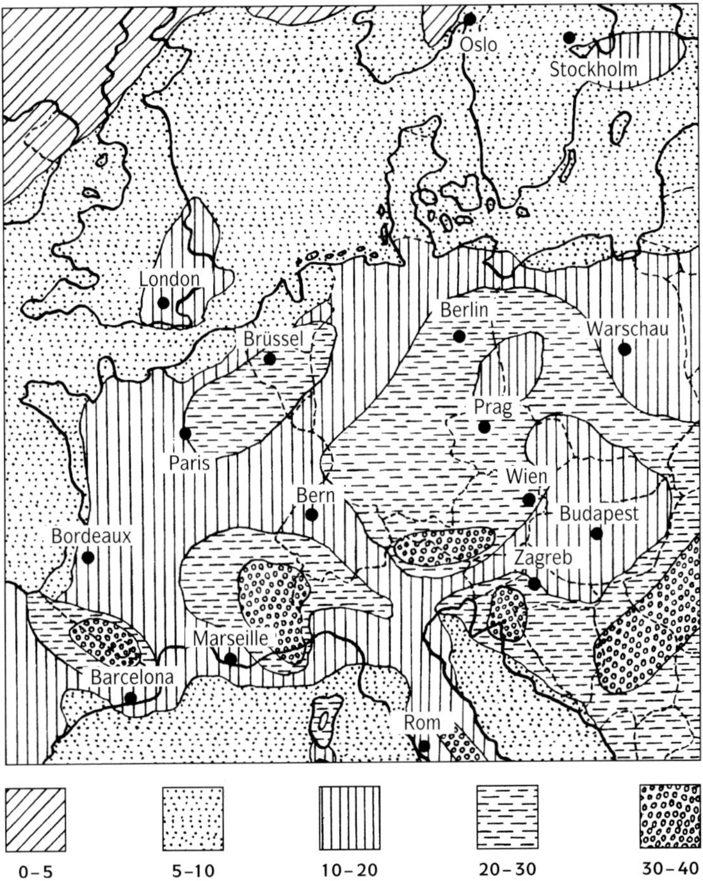


Die Flächen stellen Mittelwerte dar, die aufgrund des weitmaschigen Erhebungsnetzes mit Vorsicht zu bewerten sind. Bei einem größeren Maßstab können die Werte innerhalb eines Gebietes beträchtlich voneinander abweichen, insbesondere in Regionen mit vielgestaltigen Landschaftsformen, wie dies beispielsweise in Gebirgsregionen (Unterschied Berg-Tal) der Fall ist.

Das Maximum der Gewittertätigkeit liegt in weiten Teilen Europas zwischen Mai und September; in den Gebieten mit der größten jährlichen Gewitteranzahl, wie in Südfrankreich oder Italien, fällt die große Gewitterperiode auf den August.

# Begriffe zur Beschreibung einer Cumulonimbus

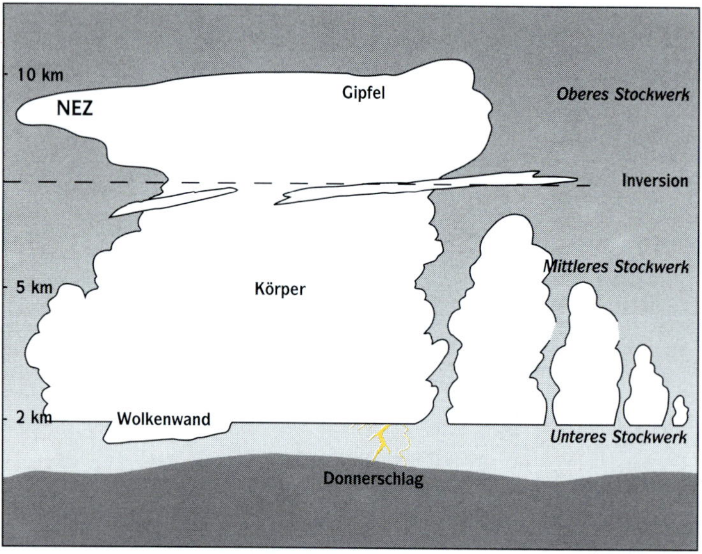


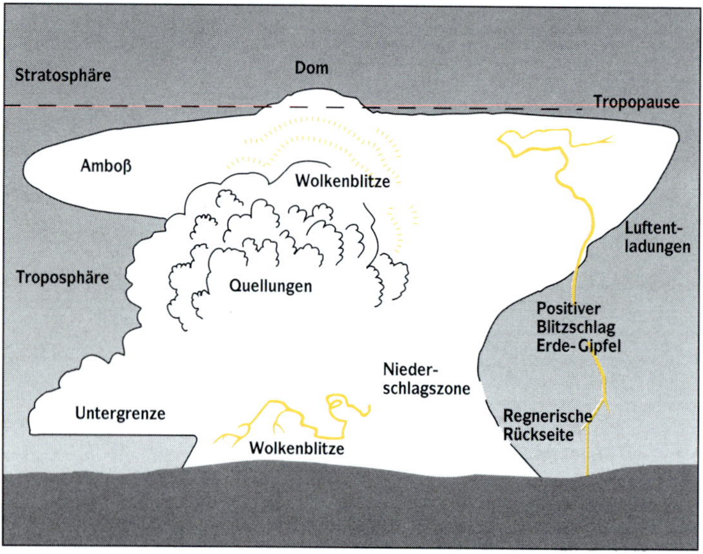

# Bestimmung der Wolkenprofile



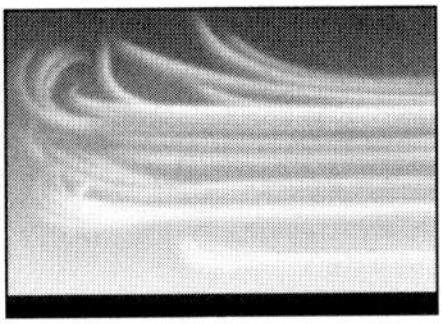

*16, 17, 18, 19, 20, 24, 72, 86*

*16, 20, 22, 23, 24, 34, 57, 75*

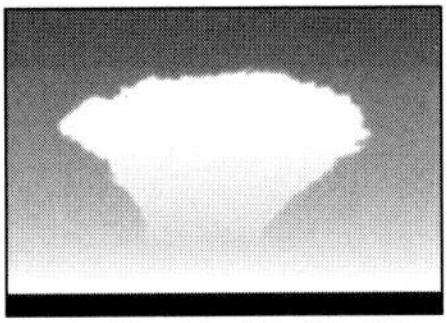

*19, 20, 22, 23, 39, 86*

*24, 25, 33*

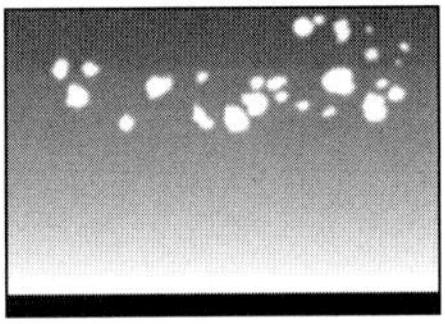

*17, 25, 27, 28, 33*

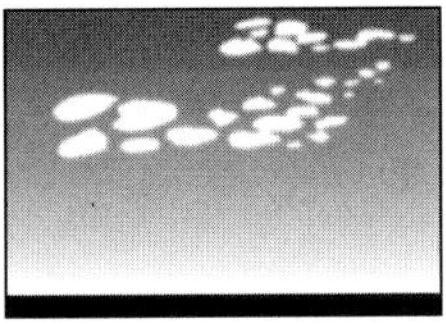

*28, 29, 33*

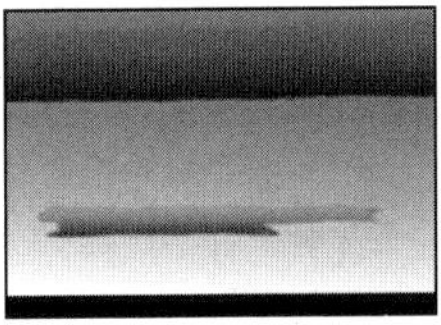

*48, 108, 110, 119*

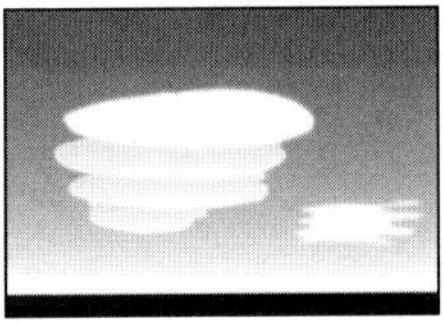

*48*

*40*

*26*

*29, 30, 31, 33, 34, 35, 36, 38, 60, 98, 99, 109*

*21, 28*

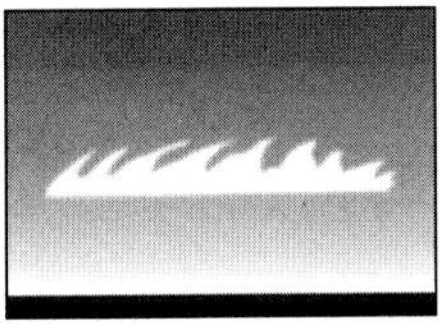

*32*

*41*

*49, 50, 51,52*

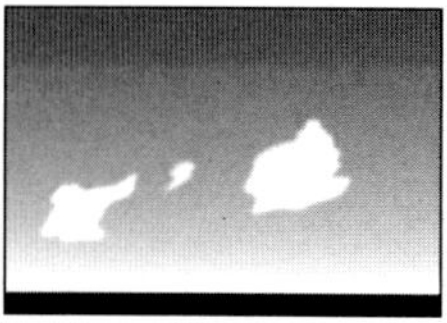
20, 30, 43, 49, 50

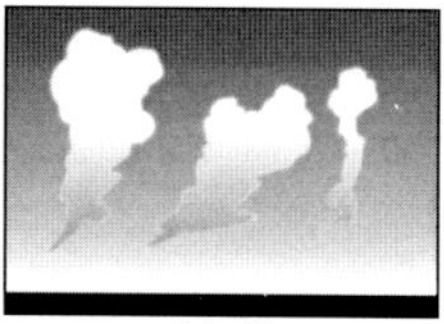
44, 45

43

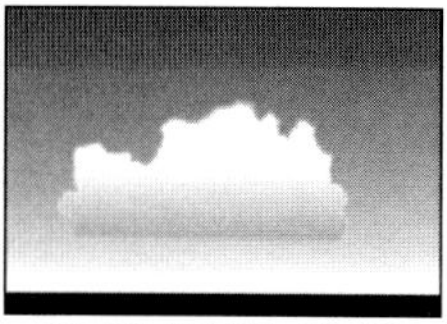
20, 30, 36, 37, 38, 39, 49, 50, 51

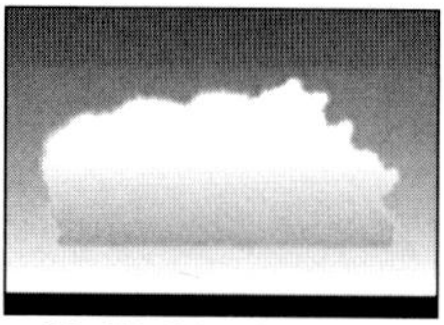
36, 37, 38, 39, 53, 54, 88

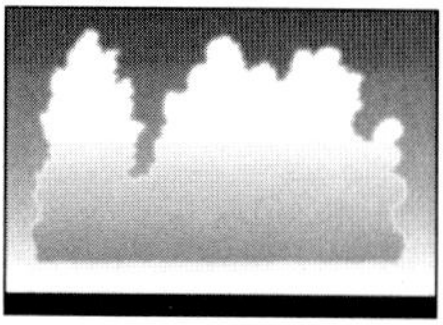
34, 38, 54, 55, 56, 57, 58, 59, 60, 66, 124, 125

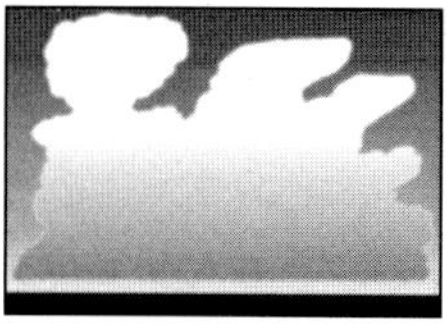
59, 61, 62, 63, 64, 65, 66, 67, 68, 69, 70, 71, 81, 87

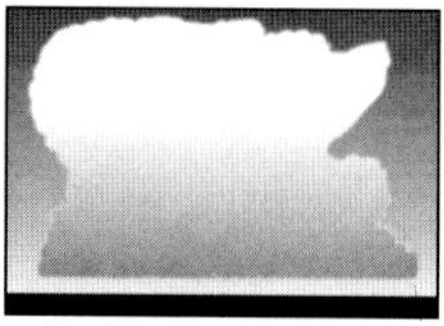
64, 65, 67, 68, 69, 70, 124, 125, 126, 127

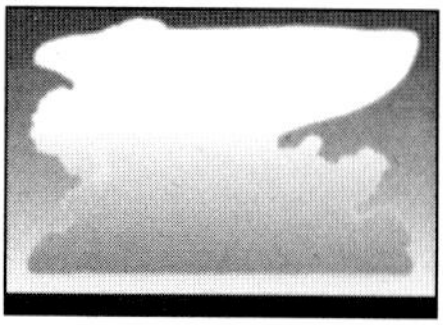
68, 69, 73, 74, 76, 77, 78, 79, 80, 81, 83, 87, 123, 127

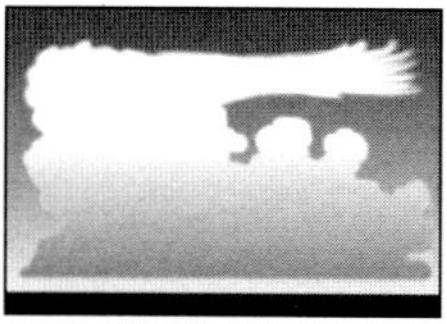
69, 71, 72, 73, 74, 81

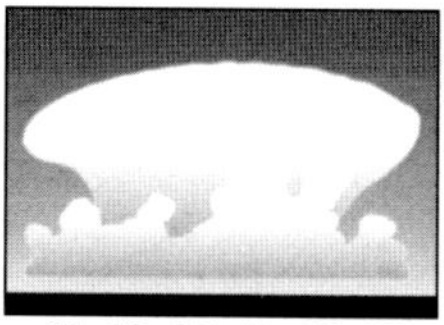
71, 75, 83, 84, 85, 87

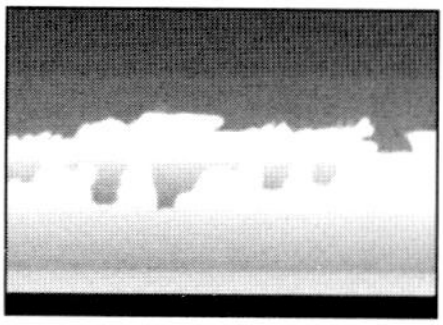
23, 81, 88, 89

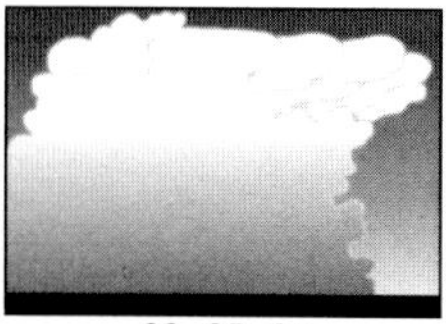
82, 83, 84

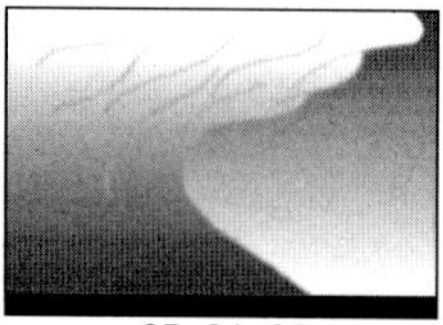
83, 84, 85

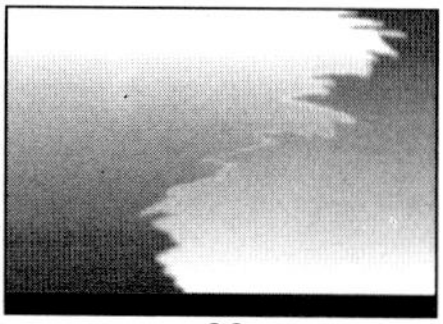
86

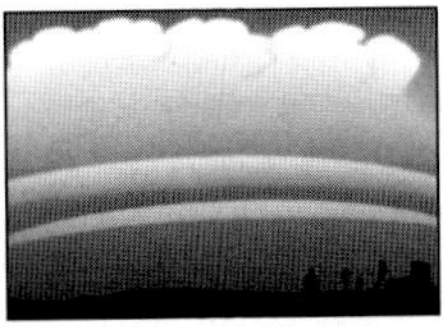

89, 112, 113, 114

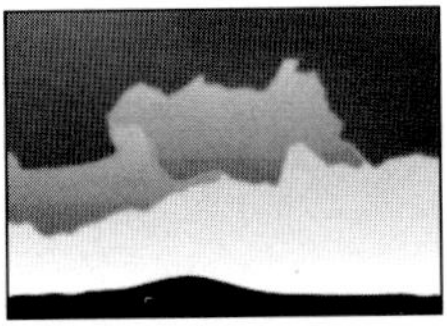

91, 95, 108, 130, 131, 132, 138, 139

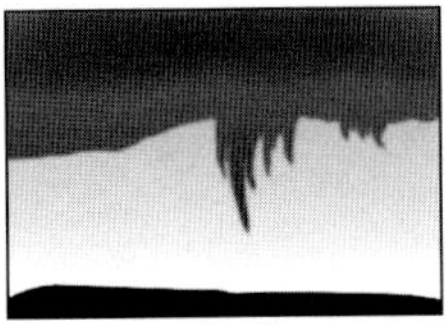

92, 93

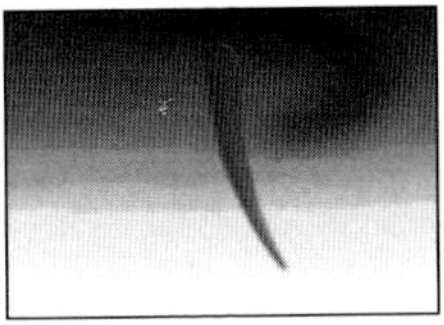

97

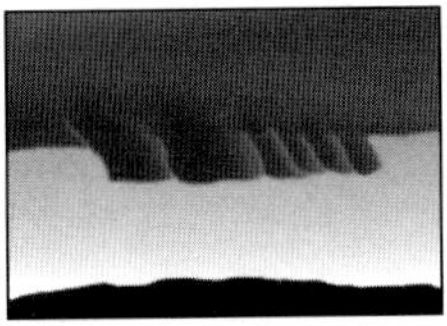

93, 94, 102, 108, 130, 131

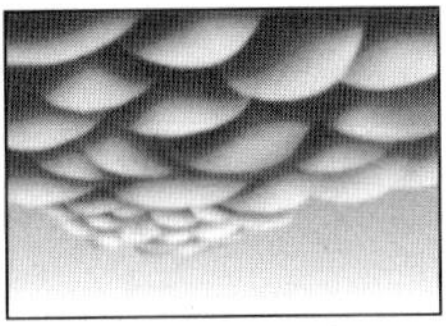

116, 117, 118

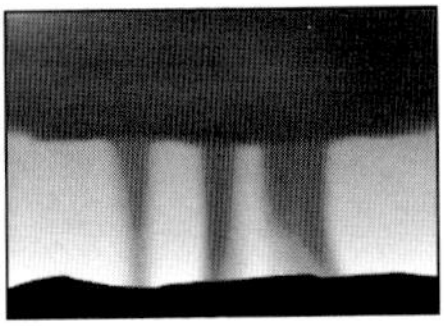

87, 103

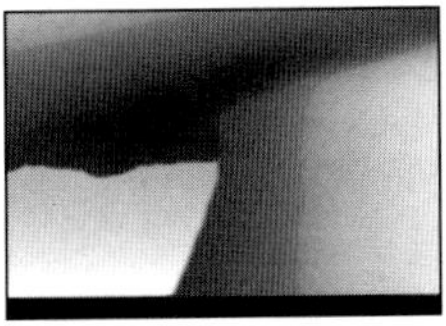

102, 104, 105, 106, 107, 118

108, 111, 115, 139

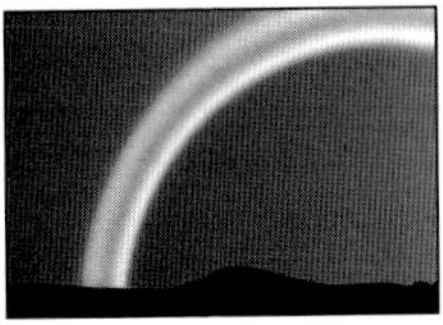

119, 120, 121

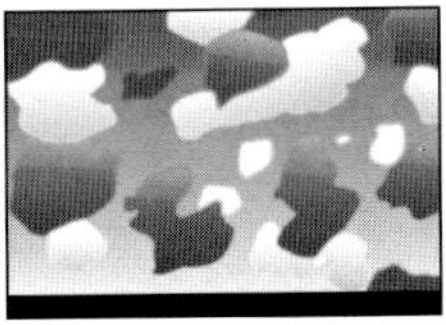

46, 47, 90

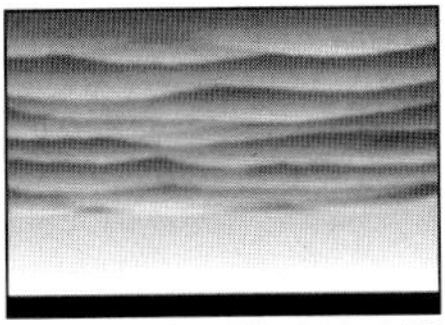

96, 98, 99, 100, 101, 132

# Cirrus fibratus

**Datum:** 15. Juni 1994. 1 080 m. Später Abend.

**Wetterlage:** Hochdruckverhältnisse. Sehr stabile Strömung aus Nord-Nordost. Schwacher, kühler Nordwind. Temperatur 20-25 °C.

**Vorhersage:** Schön und sonnig, einige durchziehende Wolkenfelder.

**Entfernung:** Zwischen 20 und 30 km Richtung Süden.

**Bildanalyse:** Stabile Cirren, von der untergehenden Sonne beschienen. Diese hohen Wolken resultieren wahrscheinlich aus einer nördlich gelegenen Störung. Die rötliche Färbung wird manchmal als Anzeichen für Wind am folgenden Tag angesehen, was hier jedoch nicht der Fall war.

**Richtung/Geschwindigkeit:** Sehr schwach, Nord ➛ Süd.

**Entwicklung:** Schönes Wetter am nächsten Tag. Bei Druckabfall und Verdichtung der aus Westen kommenden Wolken ist am nächsten Tag beim Durchzug einer Warmfront Regen möglich.

**Gefahr:** Keine; stabile, nicht gewittrige Wolken. Bei warmem Wetter und Südwestwind können die Cirrus fibratus einer sehr schwachen Warmfront vorausgehen, der in den nächsten 48 Stunden eine aktivere Kaltfront folgt.

**Situation nach dem Foto:** Schönes Wetter an den folgenden Tagen mit steigenden Temperaturen, gefolgt von einer Gewitterperiode nach dem 18. des Monats.

# Cirrus fibratus vertebratus

**Datum:** 18. Oktober 1994. 1 080 m. Später Abend.

**Wetterlage:** Abfall des Druckfeldes beim Heranrücken eines Tiefdrucktroges. Südströmung auf der Vorderseite, begleitet von Aufstieg feuchter Luft. Festsetzung eines Regensystems im Süden. Temperatur 16-20 °C.

**Vorhersage:** Am nächsten Tag zieht von Westen her schönes Wetter heran. Am Abend des folgenden Tages starke Regenfälle über den Südhängen der Berge.

**Entfernung:** Ungefähr 6 bis 7 km vom Zenit.

**Bildanalyse:** Diese relativ tiefen Cirren liegen in einer warmen Luftmasse. Ihre Form erinnert ein wenig an eine Wirbelsäule. Die Wolkenelemente zwischen den Markierungen A 1 und A 2 bilden sich in Cirrus floccus um und weisen auf Labilität hin.

**Richtung**: Südwest ➛ Nordost.

**Entwicklung:** Durchzug labiler Wolken bis zum Abend. Voraussichtlich Wetteränderung am folgenden Tag.

**Gefahr:** In den kommenden Stunden keine.

**Situation nach dem Foto:** Heiterer Tag, labile Wolken am Abend. Kein Gewitter, aber starke Regenfälle in der Nacht vom 19. auf den 20. Oktober. Sehr heftige Gewitter weiter südlich mit intensiven Blitzschlägen.

*Siehe Seite 27*

# Cirrus uncinus und spissatus

**Datum:** 6. Mai 1995. 1 080 m. Später Vormittag.

**Wetterlage:** Hochdruckverhältnisse. Luftdruck 1 017 hPa. Gewittrig über dem Südwesten. Kaltfront im Westen. Schwacher Südostwind. Temperatur 21-27 °C.

**Vorhersage:** Schön und warm, aber Entwicklung einiger Gewitterherde am Abend. Etwas zahlreichere Gewitter am nächsten Tag.

**Entfernung:** Ungefähr 5-6 km bis 10-12 km Richtung Norden.

**Bildanalyse:** Die charakteristisch hakenförmige Cirrus uncinus kündigen im allgemeinen Regen in den folgenden 48 Stunden an. Normalerweise entstehen sie in großer Höhe im oberen Stockwerk, hier liegen sie jedoch ziemlich tief. Im linken oberen Bildabschnitt sind Cirrus spissatus zu erkennen.

**Richtung/Geschwindigkeit:** Sehr langsam, Südwest ➛ Nordost.

**Entwicklung:** Im allgemeinen gehen diese Wolken einer Kaltfront voraus, sie werden aber nicht als vorgewittrige Wolken eingestuft. Zieht man die Seite 102 als Vergleich heran, so ist dieser Fall eher selten.

**Gefahr:** Zur Zeit keine. Verfolgen Sie die Wolkenentwicklung am folgenden Tag.

**Situation nach dem Foto:** Ruhiger Tag mit Entwicklung von Cumulus congestus, aber aufgrund der geringen Luftfeuchtigkeit nur sehr geringe Gewitterneigung.

*Siehe Seiten 19, 21, 24*

*Siehe Seiten 22, 53, 102* 2

# Tiefe, vorgewittrige Cirrus spissatus

**Datum:** 6. Mai 1995. 1 080 m. Mittag.

**Wetterlage:** Hochdruckverhältnisse. Luftdruck 1 017 hPa. Gewittrig über dem Südwesten. Kaltfront im Westen. Schwacher Südostwind. Temperatur 21-27 °C.

**Vorhersage:** Schön und warm, aber Entwicklung einiger Gewitterherde am Abend. Etwas zahlreichere Gewitter am nächsten Tag.

**Entfernung:** 5 bis 6 km Richtung Süden.

**Bildanalyse:** Nicht sehr hohe Cirrus spissatus, die sich nach Auflösung einer kleinen Cumulonimbus im Süden entwickelten. Zwei Stunden vor Aufnahme des Fotos wüteten weiter westlich Gewitter.

**Richtung/Geschwindigkeit:** Sehr langsam, Südwest ➛ Nordost.

**Entwicklung:** Sehr wechselhaft. Ein Warmluftsektor bestimmt das Wetter, ein bis zwei Tage später folgt ihm eine gewittrige Kaltfront. In den frühen Morgenstunden können diese Wolken ein Hinweis auf weit entfernte Gewitter während der letzten Nacht sein.

**Gefahr:** Bei gleichbleibender Bewölkung keine. Verfolgen Sie die Wetterentwicklung in den kommenden Stunden und am folgenden Tag.

**Situation nach dem Foto:** Ruhiger Tag mit Entwicklung von Cumulus congestus, aber aufgrund der geringen Luftfeuchtigkeit nur sehr geringe Gewitterneigung.

*Siehe Seiten 18, 21, 24*

*Siehe Seiten 22, 53, 102* 2

# Cirrus fibratus intortus und spissatus Cumulus fractus und humilis

**Datum:** 24. April 1994. 1 080 m. Früher Nachmittag.

**Wetterlage:** Tiefdruckströmung aus Südwesten. Relativ niedriger Luftdruck. Süd-Süd-westwind, später Westwind. Temperatur 14-19 °C.

**Vorhersage:** Bewölkt mit Schauern, die örtlich gewittrig sein können.

**Entfernung:** 25 km Richtung Süden.

**Bildanalyse:** Diese Cirren stammen möglicherweise aus dem zerfallenen Amboß einer Cumulonimbus (Cirrus spissatus zwischen A2 und A3 und Cirrus fibratus intortus zwischen B1 und B2), die Situation ist relativ labil. Im Cumulusstreifen (CD) erscheint kein Zeichen von Quellungen. Diese Wolkenanordnung kann auf wiederholte gewittrige Schauer oder das Vorrücken einer einfachen Regenstörung hinweisen.

**Richtung:** Südwest → Nordost.

**Entwicklung:** Das Auftreten von gewittrigen Hagel- oder Graupelschauern ist möglich.

**Gefahr:** Die faserige Erscheinung der Wolken weist auf keine größere Bedrohung hin. Eventuell entwickeln sich auf der Rückseite bedeutendere Konvektionsbewegungen.

**Situation nach dem Foto:** Eine halbe Stunde später Schauer, gefolgt von weiteren Graupelschauern und einigen Donnerschlägen am Abend.

# Tiefe, vorgewittrige Cirrus mit virga

**Datum:** 6. Mai 1995. 1 080 m. Früher Nachmittag.

**Wetterlage:** Hochdruckverhältnisse. Luftdruck 1 017 hPa. Gewittrig über dem Südwesten. Kaltfront im Westen. Schwacher Südostwind. Temperatur 21-27 °C.

**Vorhersage:** Schön und warm, aber Entwicklung einiger Gewitterherde am Abend. Etwas zahlreichere Gewitter am nächsten Tag.

**Entfernung:** 5 bis 7 km vom Zenit Richtung Süden.

**Bildanalyse:** Umbildung der tiefen Cirrus spissatus von Seite 19 in C. floccus mit vorgewittriger Labilität. Hier ist die Wolke in mehrere Teile zerrissen. Sie bilden Fallstreifen (virga). In der Ferne (Linie B) erscheint eine weitere C. spissatus (A1).

**Richtung/Geschwindigkeit:** Sehr langsam, Südwest ➛ Nordost.

**Entwicklung:** Sehr wechselhaft. Ein Warmluftsektor bestimmt das Wetter, ein bis zwei Tage später folgt ihm eine gewittrige Kaltfront. In den Morgenstunden können diese Wolken ein Hinweis auf weit entfernte Gewitter während der letzten Nacht sein.

**Gefahr:** Zur Zeit keine. Verfolgen Sie die Wolkenentwicklung in den folgenden Stunden und am nächsten Tag.

**Situation nach dem Foto:** Ruhiger Tag mit Entwicklung von Cumulus congestus, aber aufgrund der geringen Luftfeuchtigkeit nur sehr geringe Gewitterneigung.

*Siehe Seiten 18, 19, 24*

*Siehe Seiten 22, 53, 102* 2

# Cirrus spissatus cumulonimbogenitus

22

**Datum:** 7. Mai 1995. 1 080 m. Vormittag.

**Wetterlage:** Abfallender Luftdruck, Vorrücken einer Kaltfront. Gewitter über dem Südwesten. Schwacher Süd-Südostwind. Temperatur 21-26 °C.

**Vorhersage:** Gewitterneigung, insbesondere am Abend über den Geländeerhebungen.

**Entfernung:** 10 bis 15 km Richtung Süden.

**Bildanalyse:** Auflösung einer kleinen, ziemlich tiefen Cumulonimbus. Nur der Amboß sowie die Niederschläge sind noch erkennbar (weiße Streifen A1-A2). Das intensive Blau des Himmels und das Weiß der Cirren weisen auf sehr kalte Luft oberhalb des mittleren Stockwerks hin.

**Richtung / Geschwindigkeit:** Ziemlich langsam, West ➝ Ost, später Nord-Nordwest ➝ Süd-Südost.

**Entwicklung:** Hohe Gewitterwahrscheinlichkeit am Nachmittag beim Vorrücken einer Kaltfront.

**Gefahr:** Zur Zeit keine. Beobachten Sie die Umgebung. Unter dem Amboß schwaches Gewitterrisiko.

**Situation nach dem Foto:** Eine Stunde später Gewitter über der Umgebung. Heftigere Gewitter am Nachmittag über den weiter östlich gelegenen Bergen.

*Siehe Seiten 53, 102*

*Siehe Seiten 18, 19, 21, 24* 2

# Cirrus altocumulogenitus

**Datum:** 30. April 1993. 1 080 m. Abend.

**Wetterlage:** Vorherrschende Westwetterlage und Eindringen einer Störung aus westlicher Richtung. Südwestwind, später Westwind. Temperatur 4-12 °C.

**Vorhersage:** Örtlich schwere Regenfälle begleitet von gewittrigen Platzregen in der Nacht und am nächsten Tag.

**Entfernung:** 40 bis 50 km Richtung Westen.

**Bildanalyse:** Diese, aus einer ausgedehnten Altocumulusschicht hervorgegangenen Cirren könnten den Eindruck von Ambossen ferner Cumulonimben erwecken. Die Sonne scheint durch die Wolken hindurch und offenbart deren geringe Dichte. Es handelt sich also nicht um eine Gewitterlinie.

**Richtung / Geschwindigkeit:** Ziemlich langsam, West ➛ Ost.

**Entwicklung:** Aus Altocumulus-Bänken hervorgegangene Cirren breiten sich auf der Vorderseite einer mehr oder weniger gewittrigen Linie aus.

**Gefahr:** In den folgenden Stunden keine, Gewitterwahrscheinlichkeit in der zweiten Nachthälfte. Im Sommer sind bei diesem Himmelstyp auf der Vorderseite einer sehr aktiven Front Gewitter in der Nacht sicher.

**Situation nach dem Foto:** Gegen 21 Uhr Gewitter im Westen. In der Nachtmitte dann Gewitter mit Schnee über dem Standort.

# Cirrus und Cirrocumulus

**Datum:** 6. Mai 1995. 1 080 m. Vormittag.

**Wetterlage:** Hochdruckverhältnisse. Luftdruck 1 017 hPa. Gewittrig über dem Südwesten. Kaltfront im Westen über dem Meer. Schwacher Südostwind. Temperatur 21-27 °C.

**Vorhersage:** Schön und warm, aber Entwicklung einiger Gewitterherde am Abend.

**Entfernung:** Ungefähr 8 bis 10 km vom Zenit.

**Bildanalyse:** Diese hohen Wolken weisen auf Labilität und kühle Luft im oberen Stockwerk hin. Genau wie die Altocumuli kündigen die Cirrocumuli oft Gewitter in den folgenden 24 Stunden an. Sie bilden sich in den hohen Gipfeln der Gewitterwolken. Die zinnen- oder türmchenförmigen Kondensstreifen von Flugzeugen sind ebenfalls ein Zeichen für Labilität in der Höhe.

**Richtung/Geschwindigkeit:** Sehr langsam, West ➛ Ost.

**Entwicklung:** Sehr wechselhaft. Nach ein oder zwei Tagen Durchzug einer Kaltfront. Gewitterneigung insbesondere am folgenden Tag.

**Gefahr:** Keine. Verfolgen Sie während der Nacht und insbesondere am nächsten Tag den Himmel.

**Situation nach dem Foto:** Ruhiger Tag mit Durchzug einiger labiler Wolken, später von Cumulus congestus. Gewitterrisiko aufgrund des Feuchtigkeitsmangels gering.

*Siehe Seiten 18, 19, 21*

*Siehe Seiten 22, 53, 102* 2

# Labile Altocumuli und Cirrocumuli

**Datum:** 23. Juli 1994. 1 080 m. Vormittag.

**Wetterlage:** Barometrischer Sumpf, überwiegend Hochdruckeinfluß. Schwache Südweströmung. Schwacher Wind aus wechselnden Richtungen. 22-30 °C.

**Vorhersage:** Zunehmend bewölkt und schwül mit vereinzelten, aber lokal schweren Gewittern, insbesondere im Gebirge.

**Entfernung:** Ungefähr 2 500 m bis 5 000 m von links nach rechts Richtung Norden.

**Bildanalyse:** Diese Wolken kommen in gleichmäßigen Luftmassen normalerweise selten vor, Ihr Auftreten kann eine leichte Advektion kühler Luft im mittleren Stockwerk anzeigen. Die Wolkenelemente links einer gedachten Diagonale zwischen den Markierungen 1 und A2 gehören zur Gattung Altocumulus, die kleineren rechts davon zur Gattung der Cirrocumulus.

**Richtung / Geschwindigkeit:** Sehr langsam, Südwest ➛ Nordost.

**Entwicklung:** Vorgewittrige Wolken. Einhergehend mit hohen Temperaturen sind sie Vorboten von Gewittern, sofern eine Kaltfront heranzieht.

**Gefahr:** Zur Zeit keine, wenn sich die Wolkendecke auf diese Wolkentypen beschränkt. Gewitterrisiko am Abend oder am nächsten Tag.

**Situation nach dem Foto:** Mäßige Gewitterentwicklungen am Nachmittag, gefolgt von schweren Gewittern im Norden am Abend, später dann über dem Westen.

*Siehe Seiten 41, 93* 2

# Altocumulus undulatus

26 

**Datum:** 16. Juli 1994. 1080 m. Später Abend.

**Wetterlage:** Südwestströmung. Sehr heiß und labil auf der Vorderseite eines gewittrigen Tiefdrucktroges. Abfallender Druck. Schwacher Süd-Südwestwind. Temperatur 30-35 °C.

**Vorhersage:** Heiß und sonnig. In der folgenden Nacht können Gewitter auftreten.

**Entfernung:** Ungefähr 20 km Richtung Südwesten.

**Bildanalyse:** Typisch vorgewittrige Altocumulus-Bank, deren Form an Rippeln im Sand bei Ebbe erinnert. 350 km westlich entladen sich am frühen Abend Gewitter.

**Richtung / Geschwindigkeit:** Sehr langsam, Süd-Südwest ➛ Nord-Nordost.

**Entwicklung:** Bei heißem Wetter kündigen labile Wolken für den nächsten Tag und manchmal für die folgende Nacht Gewitter an.

**Gefahr:** In den kommenden Stunden keine. Verfolgen Sie im Südwesten den Verlauf von eventuell in der Nacht auftretenden Blitzen und die gewittrigen Entwicklungen am nächsten Tag.

**Situation nach dem Foto:** Nächtliche Gewitter im Westen mit abnehmender Intensität in der zweiten Nachthälfte. Am nächsten Tag Entwicklung von sehr elektrischen Gewittern über dem Norden und Nordwesten. Nachmittags Gewitter über dem Norden, die sich in der darauf folgenden Nacht über die gesamte Region ausbreiten.

*Siehe Seite 70* 2

# Altocumulus floccus

**Datum:** 18. Oktober 1994. 1 080 m. Abend.

**Wetterlage:** Abfall des Druckfeldes beim Heranrücken eines Tiefdrucktroges. Südströmung auf der Vorderseite, begleitet vom Aufstieg feuchter Luft. Festsetzung eines Regensystems im Süden. Temperatur 16-20 °C.

**Vorhersage:** Am nächsten Tag zieht von Westen her schönes Wetter heran. Starke Regenfälle am Abend des folgenden Tages über den Südhängen der Berge.

**Entfernung:** Ungefähr 3 000 m vom Zenit.

**Bildanalyse:** Abwandlung von Altocumulus floccus. Der Hahn auf der Kirchturmspitze zeigt am Boden Südostwind an. Die kleinen, mehr oder weniger zerrissenen Wolkenbällchen am klaren Abendhimmel sind ein Zeichen von Labilität und möglichen Gewittern in den folgenden 24 Stunden.

**Richtung:** Südwest ➛ Nordost.

**Entwicklung:** Auflösung mit dem Sonnenuntergang. Durchzug von Altocumulus-Bänken während der Nacht. Diese Wolken können nächtlichen Gewittern vorausgehen.

**Gefahr:** Keine. Voraussichtlich Gewitter am folgenden Tag.

**Situation nach dem Foto:** Kein Gewitter über dem Standort, aber starke Regenfälle in der Nacht. Sehr heftige Gewitter im Süden und starke Blitzschläge.

*Siehe Seite 17*

# Altocumulus floccus und virga

28

**Datum:** 7. August 1994. 620 m. Abend.

**Wetterlage:** In der Höhe schwache, labile Südwestströmung. Am Boden warme, aber trockene Luft. Schwacher Wind aus wechselnden Richtungen. Temperatur 27-31 °C.

**Vorhersage:** Sonnig und heiß, gewittrige Entwicklungen am späten Nachmittag.

**Entfernung:** Im Vordergrund 2 000 m Richtung Norden.

**Bildanalyse:** Vorgewittrige Altocumulus floccus-Bank, Haufenwolkenentwicklung in der oberen Partie des Bildausschnitts A1. Der untere Teil löst sich in Niederschläge auf, die in der warmen und trockenen Luft den Boden jedoch nicht erreichen (virga). Eine bei labilen, vorgewittrigen Situationen im mittleren Stockwerk häufige Situation.

**Richtung / Geschwindigkeit:** Sehr langsam, Nordwest ➛ Südost.

**Entwicklung:** Gewitterrisiko während der Nacht und am nächsten Tag.

**Gefahr:** Zur Zeit keine, aber zunehmende Gefahr während der Nacht und am nächsten Tag.

**Situation nach dem Foto:** Wie auch das Foto auf der Seite 65 zeigt, entwickeln sich gewittrige Formationen im Südosten. Später bildet sich eine Linie sehr ausgeprägter Gewitter über dem Nordwesten (etwa 300 km entfernt). In der Nachtmitte extrem heftige Gewitter über dem Norden (abgetragene Dächer, zahlreiche Blitzschläge, sintflutartige Niederschläge).

*Siehe Seiten 33, 64, 65*

*Siehe Seite 62* 2

# Vorgewittrige Altocumulus

**Datum:** 9. August 1994.1 080 m. Später Vormittag.

**Wetterlage:** Sehr labile Südwestströmung. Im Westen unruhiges und gewittriges Wetter. In der Höhe Advektion kalter Luft. Druckabfall. Am Boden starker Südostwind. 27-35 °C.

**Vorhersage:** Sonnig am Morgen, am Nachmittag bilden sich dann Gewitterwolken. Zahlreiche Gewitter am Abend. Hagel und starke Windböen. Ergiebige Niederschläge.

**Entfernung:** 1 500 bis 4 000 m (entferntere Elemente) vom Zenit.

**Bildanalyse:** Labile Wolken auf der Vorderseite einer aktiven Gewitterzone. Diese Altocumulus ähneln der Wolkenart castellanus (siehe folgende Seiten). Aus der Ferne weisen diese Wolken die klassische Form von Schichten mit türmchenförmigem Aufbau auf (siehe Seite 31).

**Richtung / Geschwindigkeit:** Trotz anhaltenden Bodenwindes ziemlich langsam, Süd-Südwest ➛ Nord-Nordost.

**Entwicklung:** Hohe Gewitterwahrscheinlichkeit in den folgenden 24 Stunden, aber vor allem im Laufe der Nacht.

**Gefahr:** Zur Zeit keine. Verfolgen Sie die Entwicklungen am späteren Tag. Achten Sie nachts auf das Vorrücken von Blitzen in westlicher und südwestlicher Richtung.

**Situation nach dem Foto:** Abends westlich Gewitter. Nachts heftige Gewitter, die bis zum Vormittag andauern. Im Tageslauf langsame Verlagerung Richtung Osten.

*Siehe Seiten 58, 59, 108* 2

# Altocumulus castellanus

**Datum:** 22. Mai 1994. 1 080 m. Vormittag.

**Wetterlage:** Fortbestehen einer sehr labilen Südwestströmung auf der Vorderseite einer wellenartig voranschreitenden Kaltfront. Süd-Südwestwind. 17-24 °C.

**Vorhersage:** Bewölkt und schwül mit lokal gewittrigen Platzregen.

**Entfernung:** Ungefähr 5 bis 7 km Richtung Westen.

**Bildanalyse:** Ausgeprägte Labilität im mittleren Stockwerk. Zusammen mit der Altocumulus floccus ist dies die bekannteste vorgewittrige Wolke. Ihr Auftreten (Linie A) ist bei warmem und schwülem Wetter ein fast untrügliches Zeichen für eine Gewitterbildung in den folgenden 24 Stunden. Das entscheidende Kriterium ist der türmchenförmige Aufbau einer lang gestreckten Schichtwolke.

**Richtung:** West-Südwest ➛ Ost-Nordost.

**Entwicklung:** Manchmal entwickeln sich diese Wolken in Cumulus congestus und dann in Cumulonimben, die stark elektrisch geladene, trockene Gewitter verursachen.

**Gefahr:** Hier ist die Vertikalentwicklung unbedeutend, der Betrachter hat also nichts zu befürchten. Die ferneren Stratocumulus (B1) können jedoch eine stärker strukturierte Gewitterlinie verdecken. Voraussichtlich folgen in den folgenden Stunden, der Nacht oder am nächsten Tag Gewitter.

**Situation nach dem Foto:** Abends Durchzug einer Gewitterbö gefolgt von Gewittern.

*Siehe Seiten 31, 114*

*Siehe Seiten 87, 118* 2

# Altocumulus castellanus

**Datum:** 22. Mai 1994. 1 080 m. Vormittag.

**Wetterlage:** Fortbestehen einer sehr labilen Südwestströmung auf der Vorderseite einer wellenartig voranschreitenden Kaltfront. Süd-Südwestwind. 17-24 °C.

**Vorhersage:** Bewölkt und schwül mit lokal gewittrigen Platzregen.

**Entfernung:** Ungefähr 5 bis 7 km (Linie A und Streifen BC) Richtung Südwest.

**Bildanalyse:** Dieses Foto entstand kurz vor der Aufnahme auf der Seite 30. Es zeigt den gleichen vorgewittrigen Wolkentyp (A). Abgesehen von diesen beiden Altocumuli sieht der Himmel gewöhnlich aus, insbesondere im Streifen BC, in dem die Entwicklung von Stratocumuli in Cumulus fractus und mediocris keinen bedrohlichen Anschein erweckt.

**Richtung:** West-Südwest ➛ Ost-Nordost.

**Entwicklung:** Manchmal entwickeln sich diese Wolken in Cumulus congestus, dann in Cumulonimben, die im mittleren Stockwerk sehr stark elektrisch geladene und schwach regnerische Gewitter verursachen. Häufiger gehen sie aber Gewitterfronten um mehrere Dutzend bis Hunderte Kilometer voraus.

**Gefahr:** Die Vertikalentwicklung dieser Stratocumulus und des Wolkenstreifens BC ist ziemlich unbedeutend, von ihnen geht keine Gefahr für den Betrachter aus. In den folgenden Stunden, nachts oder am nächsten Tag sind Gewitter jedoch wahrscheinlich.

**Situation nach dem Foto:** Abends Durchzug einer Gewitterbö gefolgt von Gewittern.

*Siehe Seiten 30, 114*

*Siehe Seiten 87, 118* 2

# Vorgewittrige Altocumuli

**Datum:** 3. November 1994. 1 080 m. Vormittag.

**Wetterlage:** Süd-Südwestströmung. Aufsteigen von warmer, labiler Luft. Tiefdruckgebiet über dem Südwesten. Wellenfront im Westen. Starker Südwind. 14-22 °C.

**Vorhersage:** Windig und bewölkt, dann bedeckt sich der Himmel von Süden her, mit starken Regenfällen am Abend insbesondere über den Süd- und Südosthängen.

**Entfernung:** Ungefähr 10 bis 12 km Richtung Westen.

**Bildanalyse:** Die Altocumulus-undulatus-Bank (Linie A) weist an ihrer oberen Grenze eine regelmäßige Sägezahn-Struktur auf. Diese Formen, die auch an stilisierte Wellen erinnern, sind ein sicheres Zeichen für heftigen Wind oder Sturm in den folgenden Stunden. Dieses Bild enthält typische Kriterien, die aktiven und ausgedehnten Störungen vorangehen (Cirrocumulus, Altocumulus duplicatus, Stratocumulus).

**Richtung:** Süd-Südost ➛ Nord-Nordost und Südwest ➛ Nordost entsprechend der Höhe.

**Entwicklung:** Verdichtung der Wolken aus süd-südwestlicher Richtung mit Regen. In der Nacht sind Gewitter möglich. Starker Wind.

**Gefahr:** Risiko von Gewittern verbunden mit sehr intensiven Regenfällen, Hochwassern und stürmischen Winden in den folgenden 48 Stunden.

**Situation nach dem Foto:** Während der Nacht und am nächsten Tag heftige Gewitter über dem Süden mit schweren Überschwemmungen.

*Siehe Seiten 100, 148, 149, 150* 2

# Vorgewittriger chaotischer Himmel

**Datum:** 7. August 1994. 620 m. Abend.

**Wetterlage:** In der Höhe schwache, labile Südwestströmung. Am Boden warme, aber trockene Luft. Schwacher Wind aus wechselnden Richtungen. Temperatur 27-31 °C.

**Vorhersage:** Sonnig und heiß, gewittrige Entwicklungen am späten Nachmittag.

**Entfernung:** Wolken in allen Höhen, die niedrigsten ungefähr 15 km (C) Richtung W-SW.

**Bildanalyse:** Dieser Himmel verrät eine deutliche Labilität im und unterhalb des mittleren Stockwerks. Linie C: Stratocumulus gehen in die Art castellanus über und entwickeln sich später zu Cumulus. Aufgrund des Feuchtigkeitsmangels wenig ausgeprägte Gipfel. Bildstreifen AB: Bei A1-A2 entstehen Altocumulus floccus. Zwischen D1-D2: Die Bewölkung könnte am Anfang der Nacht eventuell eine gewittrige Bedrohung darstellen.

**Richtung/Geschwindigkeit:** Sehr langsam, Nordwest ➛ Südost.

**Entwicklung:** Gewitterrisiko während der Nacht oder am nächsten Tag.

**Gefahr:** Zur Zeit keine. Die Gefahr nimmt während der Nacht jedoch zu. In den nächsten 24 Stunden Risiko eines wahrscheinlich heftigen Gewitters.

**Situation nach dem Foto:** Wie auch das Foto auf Seite 65 zeigt, entwickeln sich gewittrige Formationen im Südosten. Später bildet sich eine Linie sehr ausgeprägter Gewitter über dem Nordwesten aus (etwa 300 km entfernt). Nachts extrem heftige Gewitter über dem Norden (zahlreiche Blitzschläge, sintflutartige Niederschläge).

*Siehe Seiten 28, 64, 65* *Siehe Seite 62* 2

# Bildung einer Cumulus congestus in einer Altocumulus-Bank

**Datum:** 3. Mai 1994. 1 080 m. Nachmittag.

**Wetterlage:** Vorrücken eines Tiefdrucktroges von Westen nach Osten. Am Morgen Gewitter über dem Südwesten. Südwind. Temperatur 21-28 °C.

**Vorhersage:** Warm und sonnig. Auftreten von gewittrigen Platzregen am Nachmittag. Örtlich schwere Gewitter intensivieren sich am Abend.

**Entfernung:** Ungefähr 15 bis 20 km Richtung Osten.

**Bildanalyse:** Diese Cumulus congestus (A1-A2) geht aus einer Altocumulus castellanus hervor, die in einer Altocumulus-Bank entstanden ist. Die zinnenartige Form ihres Gipfels macht aus ihr eine vorgewittrige oder gewittrige Wolke, wenn sich die Vertikalentwicklung fortsetzt.

**Richtung / Geschwindigkeit:** Langsam, Süd-Südwest → Nord-Nordost.

**Entwicklung:** Im mittleren Stockwerk könnte sich eine Cumulonimbus entwickeln (Wolkenblitze, leichte Niederschläge). Gewitterrisiko am Abend mit zunehmender Luftfeuchtigkeit.

**Gefahr:** Gewitterrisiko am Abend und heftiges Gewitter während der Nacht.

**Situation nach dem Foto:** Austrocknung der Luft durch Südwind (Föhn-Effekt). Durchzug vorgewittriger Wolken, 80 km nordöstlich Entwicklung von Gewitterherden. Abends Gewitter im Norden, die sich nach Osten ausdehnen.

*Siehe Seite 45*

# Morgendliche vorgewittrige Altocumulus

**Datum:** 28. Mai 1995. 1 080 m. Vormittag.

**Wetterlage:** Abfallendes Druckfeld und Eindringen einer gewittrigen Kaltfront über dem Westen. Süd-Südwestwind. Temperatur 25 - 32 °C.

**Vorhersage:** Entwicklung lokaler Gewitter, gefolgt von schwereren Gewittern am nächsten Tag.

**Entfernung:** 20 km Richtung Westen-Südwesten.

**Bildanalyse:** Das morgendliches Auftreten von Cumulus castellanus oberhalb eines bedeckten Himmels ist ein eindeutiges Zeichen für gewittrige Labilität in den nächsten Stunden. Diese Wolkenformationen erscheinen auch am Rand nächtlicher Gewitter, die sich mit dem Sonnenaufgang zerstreuen.

**Richtung / Geschwindigkeit:** Sehr langsam, Südwest ➛ Nordost.

**Entwicklung:** Zu dieser Stunde flachen diese Wolken eher ab. Wenn die Störung nicht weit entfernt ist, setzt dafür schnell eine Haufenwolkenentwicklung ein und am späten Vormittag brechen Gewitter los.

**Gefahr:** Zur Zeit keine. Gewitter in den nächsten 24 Stunden.

**Situation nach dem Foto:** Schon vom späten Abend an ist mit einem Gewitter über der Umgebung zu rechnen, in der späten Nacht dann Ausbreitung über die gesamte Region.

# Cumuli, hervorgegangen aus einer vorgewittrigen Altocumulus-Bank

36

**Datum:** 19. Juli 1992. 1 588 m. Früher Nachmittag.

**Wetterlage:** Erhöhtes Druckfeld in der Höhe. Am Boden Warmluft, schwacher Wind aus wechselnden Richtungen. Temperatur 27-31 °C.

**Vorhersage:** Warm und sonnig, später Wolken über den Geländeerhebungen.

**Entfernung:** Ungefähr 30 km Richtung Südwesten.

**Bildanalyse:** Umbildung der labilen Altocumulus-Bank in Cumulus congestus und mediocris. Die trockene Luft verhindert Gewitterentstehung. Die Federwolken (A1-A2) könnten mit einem fernen Amboß verwechselt werden, es handelt sich aber nur um die Ausdehnung eines Cumulus im mittleren Stockwerk (Temperaturinversion). Im Hochgebirge sind trockene Gewitter möglich.

**Richtung / Geschwindigkeit:** Fast keine.

**Entwicklung:** Gewitterneigung am Abend. Diese Wolken kennzeichnen eine gewisse Labilität, besonders wenn sie am späten Vormittag auftreten. Risiko eines trockenen Gewitters. Eventuell Gewitter am nächsten Tag.

**Gefahr:** Keine, sofern der Himmel klar bleibt. Verfolgen Sie die Vertikalentwicklung der Altocumulus-Bank.

**Situation nach dem Foto:** Kein Gewitter trotz bedrohlich wirkender Wolken bis zum Abend. Gewitter im Westen. Am nächsten Tag Konvektionsgewitter.

*Siehe Seite 84* 2

# Stratocumulus cumulomutatus

**Datum:** 24. Mai 1993. 1 150 m. Nachmittag.

**Wetterlage:** Warm und sonnig. Vorherrschende Südwestwetterlage. Leicht erhöhter Luftdruck. Schwacher bis mäßiger Südwind. Temperatur 19-26 °C.

**Vorhersage:** Schön und warm. Gewitterneigung am nächsten Tag.

**Entfernung:** 12 bis 15 km Richtung Norden.

**Bildanalyse:** Diese Cumuluslinie mit schwacher Vertikalentwicklung stellt die Weiterentwicklung einer Stratocumulus dar, die am späten Vormittag oberhalb eines Tals stagnierte. Einige Cumulonimben mit einer Basis tief über dem Boden entstehen bei diesem Typ der Wolkenanordnung.

**Richtung/Geschwindigkeit:** Schwach, Südwest ➛ Nordost.

**Entwicklung:** Mögliche Entwicklung einer Cumulonimbus, wenn nicht am frühen Vormittag ein Abfall der Luftfeuchtigkeit die Konvektionsbewegung verhindert.

**Gefahr:** Gering, die Wolke liegt im Norden in einer Südwestströmung. Verfolgen Sie die Vertikalentwicklung.

**Situation nach dem Foto:** Am Abend Bildung einiger etwas stärker quellender Wolken. Am folgenden Tag örtlich sehr begrenzte Gewitter. Am übernächsten Tag extrem heftige Gewitter.

# Sich auflösende Cumulus congestus

**Datum:** 2. Mai 1988. 180 m. Später Abend.

**Wetterlage:** Durchzug eines gewittrigen Tiefdrucktroges. Sehr labile Kaltluft. Südwestwind, dann Westwind. Temperatur 19 °C, dann 12 °C.

**Vorhersage:** Schauer.

**Entfernung:** Ungefähr 10 km Richtung Westen.

**Bildanalyse:** Cumulus congestus aus einer Weiterentwicklung einer Stratucumulus castellanus. Die Aufnahme entstand eine halbe Stunde nach einer Gewitterperiode. Die zerrissene Form der Konturen zeigt eine Rückbildung in Cumulus mediocris, da die Luft für eine Aufrechterhaltung der Konvektion nicht warm genug ist. Die durchscheinende Sonne bestätigt die geringe Dichte der Cumuli. Auf der Vorderseite einer Kaltfront ist diese Wolkenkonfiguration am Abend bei sehr trockener Luft nicht selten. Eine nächtliche Feuchtigkeitszunahme reicht also, um eine lokale Gewitterbildung hervorzurufen.

**Richtung / Geschwindigkeit:** Ziemlich schnell, West ➛ Ost.

**Entwicklung:** Auflösung in Stratocumulus congestus.

**Gefahr:** Fast kein Gewitterrisiko.

**Situation nach dem Foto:** Auflösung mit dem Ende der Konvektion.

# Nachgewittrige, abendliche Wolke

**Datum:** 20. Juni 1993. 1 080 m. Abend.

**Wetterlage:** Barometrischer Sumpf mit Tiefdrucktendenz. Aufstieg warmer und labiler Luft. Schwacher Süd-Südostwind. Temperatur 25-31 °C.

**Vorhersage:** Vormittags heiß und sonnig. Entwicklung von Cumuli am Nachmittag mit einigen Donnerschlägen am Abend.

**Entfernung:** 10 bis 12 km Richtung Osten.

**Bildanalyse:** Diese Wolke ist das Resultat des Übergangs einer Cumulus congestus (Bildstreifen BC) in Stratocumulus, mit der Bildung einer neuen Cumulus (B2) in der Phase der Auflösung aufgrund fehlender Warmluft. Dieser Wolkentyp ist am Abend in nachgewittrigen Situationen oder am Vormittag in vorgewittrigen Situationen häufig anzutreffen. Zwischen A1 und A2 befindet sich der Rest eines Ambosses vom letzten Gewitter des Abends (s. S. 94).

**Richtung / Geschwindigkeit:** Sehr langsam, Südwest ➛ Nordost.

**Entwicklung:** In diesem Stadium Zeichen einer Wetterberuhigung.

**Gefahr:** Bei Einbruch der Nacht nachlassend. Gewittrigen Reste auf der gegenüberliegenden Seite und eventuelle Gewitter am nächsten Morgen.

**Situation nach dem Foto:** Zerstreuung und Umbildung in Stratocumulus cumulogenitus. Am nächsten Tag heftige Gewitter mit Hagel.

⏱ *Siehe Seite 94*

*Siehe Seiten 43, 80, 139, 140* 2

# Stratus

**Datum:** 21. Oktober 1994. 1 100 m. Später Abend.

**Wetterlage:** Ein regnerisch-gewittriges System verschiebt sich Richtung Südosten. Kühler Westwind. Temperatur 12-17 °C.

**Vorhersage:** Dunstig und bewölkt. Wolken über den Geländeerhebungen, Risiko von Platzregen.

**Entfernung:** 5 km Richtung Osten. Höhe einige Meter über den Geländeerhebungen.

**Bildanalyse:** Die Wolken weisen manchmal sehr dunkle, bedrohlich wirkende Basen nahe dem Boden auf. Aufgrund der geringen Dichte sowie der aufgelockerten und unbeständigen Gipfel sind sie jedoch vollkommen harmlos.

**Richtung / Geschwindigkeit:** Schnell, West-Südwest ➛ Ost-Nordost.

**Entwicklung:** Gewitter ausgeschlossen, kalte und windige Nacht.

**Gefahr:** Keine.

**Situation nach dem Foto:** Stabile und sehr kühle Nacht.

# Talnebel

**Datum:** 24. Juli 1994. 1 200 m. Vormittag.

**Wetterlage:** Barometrischer Sumpf, leichter Druckabfall. Schönes und warmes Wetter. Konvektionsgewitter am Vortag. Schwacher Südwestwind. Temperatur 26-32 °C.

**Vorhersage:** Sonnig und heiß.

**Entfernung:** 2 bis 3 km Richtung Westen.

**Bildanalyse:** Verhältnismäßig dichter, den Talboden bedeckender Morgennebel ist ein Zeichen für Gewitterentwicklung, wenn während einer warmen Periode das Druckfeld gleichmäßig und wenig erhöht ist. Im allgemeinen entstehen diese Konvektionsvorgänge durch die Vertikalentwicklung der Nebelschichten.

**Richtung / Geschwindigkeit:** Keine.

**Entwicklung:** Am Nachmittag wahrscheinlich Aufkommen von Gewittern.

**Gefahr:** Keine, solange die Konvektion noch nicht eingesetzt hat.

**Situation nach dem Foto:** Am frühen Nachmittag Konvektionsentwicklung mit Bildung einer Cumulonimbus weiter im Süden. Gegen 20 Uhr Gewitter 10 km in östlicher Richtung.

*Siehe Seite 93*

*Siehe Seite 25* 2

# Entstehung von Haufenwolken

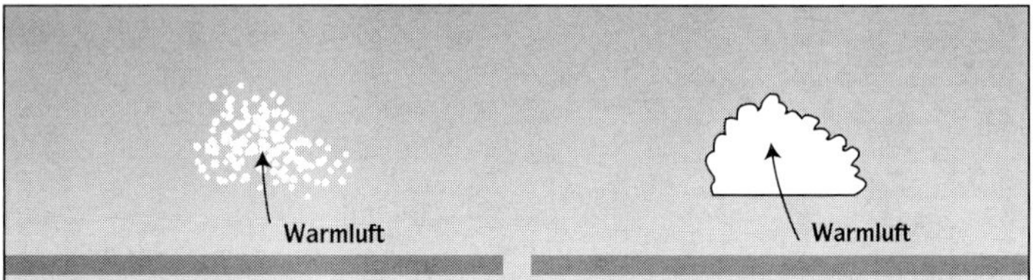


Am Anfang steigt Warmluft auf und Wasserdampf kondensiert...

...um den Partikeln in der Luft bilden sich Tröpfchen... die Wolke wird sichtbar.

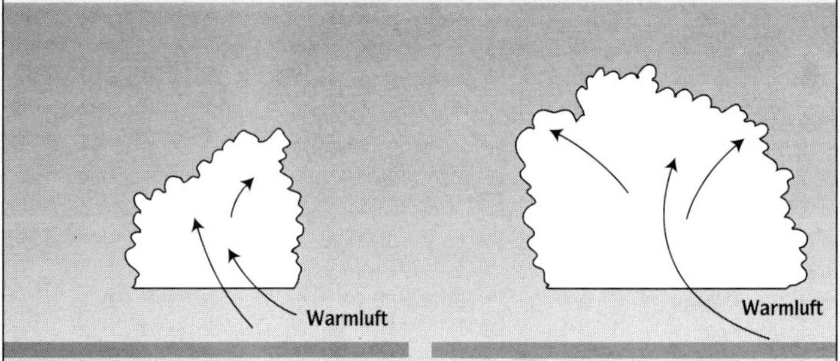


Bei sehr labiler Luft setzt sich die vertikale Ausbreitung schnell fort...

...gleichzeitig breitet sich die Cumulus seitlich aus...

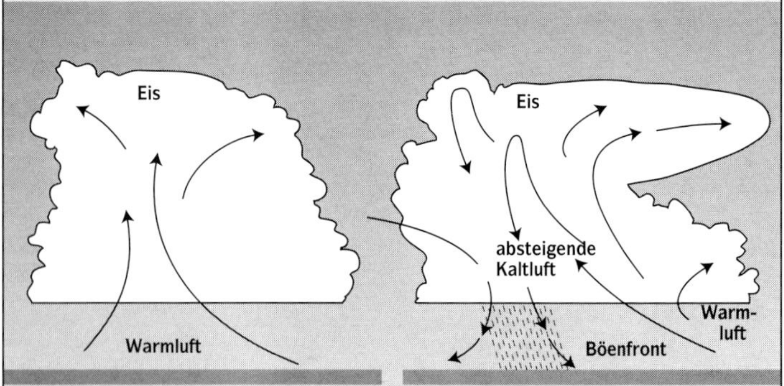


...in der Höhe der Tropopause angelangt, glättet sich der obere Teil der Cumulus: ein Cumulonimbus calvus entsteht...

... im Reifestadium nimmt die Gewitterwolke die Form eines Ambosses an.

# Cumulus fractus

**Datum:** 19. Juni 1993. 1 080 m. Vormittag.

**Wetterlage:** Barometrischer Sumpf mit Tiefdrucktendenz. Aufsteigen von aus dem Südwesten kommender, stabiler und warmer Luft. Schwacher Südwestwind. Temperatur 25-31 °C.

**Vorhersage:** Am Vormittag sehr warm und sonnig. Entwicklung von Haufenwolken über den Geländeerhebungen mit Donnerschlägen am Abend.

**Entfernung:** 2 km oberhalb eines Gipfels, etwa 4 km vom Betrachter entfernt Richtung Westen-Südwesten.

**Bildanalyse:** Erste Stufe einer Haufenwolkenentwicklung bei warmem, windstillem Wetter. Diese entstehen in Gebieten mit hohem Wasserdampfgehalt der Luft (weiße Fallstreifen am Himmel). Wenn die Quellungen ausgeprägt bleiben, sind sie über Gipfeln Hinweis auf ein Gewitter in den kommenden Stunden.

**Richtung / Geschwindigkeit:** Keine, vertikale Entwicklung am Ort.

**Entwicklung:** Umbildung in Cumulus mediocris, am Vormittag dann in Cumulus congestus. Gewitter nachmittags oder bei trockener Luft später.

**Gefahr:** Vormittags keine, evtl. Gewitter in den folgenden Stunden oder abends.

**Situation nach dem Foto:** Starke Gewitter am Nachmittag und Abend. In der frühen Nacht heftige Gewitter nordöstlich.

*Siehe Seite 80*

*Siehe Seiten 39, 94, 139, 140* 2

# Cumulus fractus und Cumulus congestus

**Datum:** 2. Juli 1994. 520 m. Früher Nachmittag.

**Wetterlage:** Aufsteigen von aus Südwesten stammender, sehr trockener Warmluft. Gleichmäßiger Luftdruck. Windstille. Temperatur 34 °C.

**Vorhersage:** Sonnig, sehr heiß. Abends Gewittertendenz über den Geländeerhebungen.

**Entfernung:** Ungefähr 15 km Richtung Westen.

**Bildanalyse:** Gewitterwolke in einer trockenen, tropischen Luftmasse. Die dunstige und schwüle Luft, der blaurosa oder schmutzig graue Himmel sowie das schwüle Klima sind charakteristisch für dieses Hitzewetter. In der Ferne erscheint eine Cumulus congestus (A1).

**Richtung / Geschwindigkeit:** Fast keine.

**Entwicklung:** Abfolge von Aufstiegsbewegungen und Wolkenauflösungen. Entwicklung von Cumulus congestus und manchmal Cumulonimben am Abend. Das Risiko eines trockenen Gewitters mit starker Ladung erhöht sich über dem Gebirge.

**Gefahr:** Zunächst keine, wenn die örtliche Feuchtigkeitsversorgung die Beständigkeit der Cumulus sichert, jedoch Gewitterneigung am Abend.

**Situation nach dem Foto:** Entwicklung einer Cumulonimbus ohne deutliche Untergrenze. Schauer, gefolgt von Donnerschlag. Gewitter am Nachmittag.

*Siehe Seiten 63, 91*

*Siehe Seiten 68, 69, 90* 2

# Cumulus fractus

**Datum:** 3. Mai 1994. 1 080 m. Früher Nachmittag.

**Wetterlage:** Vorrücken eines Tiefdrucktroges von Westen nach Osten. Am Vormittag Gewitter über dem Südwesten. Südwind. Temperatur 21-28 °C.

**Vorhersage:** Warm und sonnig. Gewittrige Platzregen am Nachmittag. Lokal schwere Gewitter, die sich am Abend verstärken.

**Entfernung:** Vom Zenit mehr als 10 km Richtung Süden.

**Bildanalyse:** Entwicklung von Cumuli in der warmen, trockenen Luft. Das kleine Wolkentürmchen (A1-C1) ist ein Zeichen von Labilität. Der Abschnitt B2-D2 zeigt beständigere Wolkenelemente.

**Richtung/Geschwindigkeit:** Langsam, Süd-Südwest ➛ Nord-Nordost.

**Entwicklung:** In labilen Situationen Umbildung in Cumulus congestus und am Abend dann in Cumulonimben. Bei trockener Luft können sie bis abends bestehen bleiben und sich dann bei Einbruch der Nacht ausbreiten.

**Gefahr:** Zunächst keine. Verfolgen Sie die vertikale Entwicklung und mögliche Gewitterbildungen am Abend oder nachts. Im Gebirge Gewitterrisiko.

**Situation nach dem Foto:** Austrocknung der Luftmasse durch Südwind (Föhn-Effekt). Durchzug vorgewittriger Wolken, dann Entwicklung von Gewitterherden nordöstlich. Abends starke Gewitter im Nordosten.

*Siehe Seite 34*

# Vorgewittriger Altocumulus – chaotischer Himmel

**Datum:** 23. Juni 1994. 1 080 m. Vormittag.

**Wetterlage:** Hochdruckgebiet (1 025 hPa), das sich Richtung Nordosten verlagert. Nordostwind, dann nach Südost drehend. Temperatur 26-29°C.

**Vorhersage:** Warm und schön. Voraussichtlich Gewitter am folgenden Tag.

**Entfernung:** Ungefähr 1 500 m vom Zenit.

**Bildanalyse:** Vorgewittriger, chaotischer Himmel. Das Nebeneinander von dunkel- und hellgrauen Altocumuli, deren Lücken bläulichroten oder türkisfarbenen Himmel durchscheinen lassen, deutet auf eine Gewitterwahrscheinlichkeit am Abend oder am folgenden Tag hin. Sie gehen oft fernen Gewittern, die in der Nacht stattgefunden haben, voraus. In diesem chaotischen Himmel entstehen manchmal kleine Cumulonimben.

**Richtung:** Süd ➛ Nord.

**Entwicklung:** Voraussichtlich Gewitter im Verlauf des Tages oder am Abend.

**Gefahr:** Risiko von Gewitterentwicklungen in der Luftmasse. Gewitterneigung im Verlauf des Tages und am Abend. Eventuell trockene Gewitter.

**Situation nach dem Foto:** Kein Gewitter, am Tag Durchzug labiler Wolken. Nachts starke Gewitter im Südwesten, danach über den südlich gelegenen Bergen in der Nacht, am nächsten Nachmittag sowie in der Nacht zum 25. Juni.

# Weiterentwicklung von Stratocumulus in Cumulus fractus

**Datum:** 10. Juni 1994. 190 m. Mittag.

**Wetterlage:** Ausgeprägtes Hochdruckgebiet mit Zentrum über dem Nordwesten. Auf der Vorderseite kühle, feuchte Nordströmung. Schwacher Nordwind. Temperatur 13-15 °C (Nachmittag).

**Vorhersage:** Kühl und bewölkt. Am Nachmittag sonniger.

**Entfernung:** Ungefähr 1 100 m vom Zenit.

**Bildanalyse:** Entwicklung der Stratocumuli (Seite 101) in Cumuli. Obwohl der Farbton an den chaotischen Himmel (Seite 46) erinnert, gibt es keinerlei Hinweise auf eine gewittrige Labilität (irisierendes, zartes, leicht schattiertes Aussehen, Fehlen von Quellungen in den cremefarbenen Bereichen).

**Richtung/Geschwindigkeit:** Langsam, Nordwest ➛ Südost.

**Entwicklung:** Ausdehnung der blauen Wolkenlücken sowie Bildung von Cumulus humilis und mediocris.

**Gefahr:** Keine, aus den oben genannten Gründen. Bei wärmerem Wetter könnte das Auftreten kleiner Quellungen in den hellen Bereichen auf mögliche Gewitterbildungen am Nachmittag hindeuten.

**Situation nach dem Foto:** Zunehmende Aufheiterungen am Nachmittag. Sehr kühles Wetter.

*Siehe Seite 101*

# Stratocumulus und Altocumulus lenticularis

**Datum:** 9. Juni 1994. 1 080 m. Nachmittag.

**Wetterlage:** Rückseitenwetter einer regnerisch-gewittrigen Störung. Zunehmender Druck. Gewitter über dem Osten. Kühle Nordwestströmung. Temperatur 11-16 °C.

**Vorhersage:** Schauerartige Niederschläge am Vormittag, dann Aufheiterungen. Temperaturrückgang.

**Entfernung:** Vordergrund 10 km, Hintergrund 25 km Richtung Norden.

**Bildanalyse:** Wenig ausgeprägtes Rückseitenwetter nach dem Durchzug einer Gewitterlinie am Vortag. Richtung Norden ist der Himmel mit einer Stratocumulus-Bank (A) bedeckt. Darüber linsenförmige Altocumuli. Wichtigstes Kennzeichen ist das glatte und ausgebreitete Aussehen dieses Wolkenkomplexes am blauen Himmel. Keine Anzeichen für Konvektion. Stabile Situation.

**Richtung / Geschwindigkeit:** Mäßig, West-Nordwest ➛ Ost-Südost.

**Entwicklung:** Eine ausgebreitete Wolkenform, verbunden mit kaltem Nordwestwind und Anstieg des Druckfeldes, ist das Anzeichen eines vordringenden Hochdruckgebietes und somit einer möglichen Wetterverbesserung.

**Gefahr:** Keine.

**Situation nach dem Foto:** Zunehmend aufklarender Himmel. Abends frisch.

*Siehe Seite 50*

# Cumulus fractus und mediocris – ferne Gewitterlinie

**Datum:** 10. April 1993. 1 080 m. Nachmittag.

**Wetterlage:** Durchzug einer Kaltfront mit Gewitterentwicklungen auf der Vorderseite. Südwestwind. Temperatur 10-16 °C.

**Vorhersage:** Schauer können gewittrig und in den Bergen mit Hagel und Schnee verbunden sein.

**Entfernung:** Verbreitete Cumuli. Die ferne Cumulonimbus-Linie liegt ungefähr 65 km Richtung Westen-Südwesten.

**Bildanalyse:** Von diesem Cumulus-Komplex (Streifen A-B) geht keine besondere Gefahr aus. Über den Bergen erscheint jedoch bei der Markierung C eine Linie von Cumulonimben über dem Horizont, die bei C1 am beständigsten erscheint. Hohe Gewitterwahrscheinlichkeit in den folgenden Stunden (wenn die schneebedeckten Gipfel die Aufwinde nicht abschwächen).

**Richtung / Geschwindigkeit:** Ziemlich schnell, Südwest ➛ Nordost.

**Entwicklung:** Voraussichtlich Gewitter in den zwei folgenden Stunden.

**Gefahr:** Zunächst keine, beim Vorrücken der Front nimmt sie aber zu. Risiko starker, positiv geladener Blitze.

**Situation nach dem Foto:** Schwache Gewitter eineinhalb Stunden nach der Aufnahme. Wenige, aber intensive Blitzschläge. Schnelle Verlagerung nordostwärts.

*Siehe Seiten 89, 112*

# Stratocumulus und Cumulus fractus

50

**Datum:** 9. Juni 1994. 1 080 m. Früher Nachmittag.

**Wetterlage:** Rückseitenwetter einer regnerisch-gewittrigen Störung. Zunehmender Druck. Gewitter östlich. Kühle Nordweströmung. Temperatur 11-16 °C.

**Vorhersage:** Schauerartige Niederschläge am Vormittag, dann Aufheiterungen. Temperaturrückgang. Bedeckter Himmel über den Bergen.

**Entfernung:** Vordergrund 1 km, Hintergrund 20 km Richtung Osten.

**Bildanalyse:** Wenig ausgeprägtes Rückseitenwetter nach dem Durchzug einer Gewitterlinie am Vortag. Westwärts signalisiert der graue Himmel bei C eine stärkere Wolkenbedeckung, wohingegen sich der Himmel über dem Betrachter aufheitert. Es erscheinen keine bedrohlichen Ausbuchtungen, die oberen Altocumulusschichten weisen auf eine Inversion in dieser Höhe hin (Streifen AB).

**Richtung / Geschwindigkeit:** Ziemlich schnell, West-Nordwest ➛ Ost-Südost.

**Entwicklung:** Dieses mit einem kalten Nordwestwind verbundene Himmelsbild begünstigt keine Gewitterbildung. Wenn der Luftdruck ansteigt, ist das Wetter am nächsten Tag im allgemeinen schön und kühl.

**Gefahr:** Keine, trotz des bedrohlichen Aussehens der Wolkenbasen.

**Situation nach dem Foto:** Aufklarender Himmel. Am Abend sehr kühl.

*Siehe Seite 48*

# Cumulus humilis und mediocris

**Datum:** 27. Mai 1994. 1 080 m. Später Vormittag.

**Wetterlage:** Entwicklung eines Hochdruckrückens nach dem Durchzug eines gewittrigen Tiefdrucktroges. Strömungsrichtung nach Nordwesten. Steigender Druck. Temperatur 17-22 °C.

**Vorhersage:** Stark bewölkt, dann zunehmende Aufheiterungen. Am Nachmittag sind im Westen Platzregen möglich.

**Entfernung:** Ungefähr 700 bis 800 m über dem Boden, die Wolkenbasen steigen am Nachmittag auf über 1 000 m an, Richtung Nordwest.

**Bildanalyse:** Rückseitenwetter mit stark vordringendem Hochdruck. Kühler Nordwestwind. Das zerrissene Aussehen der Wolkengipfel sowie die sehr geringe Vertikalentwicklung der Wolken vor dem intensivblauen Hintergrund sind Kennzeichen, die darauf hinweisen, daß es kein Gewitter geben wird.

**Richtung / Geschwindigkeit:** Schnell, Nordwest ➛ Südost.

**Entwicklung:** Im allgemeinen zunehmende Aufheiterungen. Am nächsten Tag dreht der Wind nach Norden oder Nordosten. Der Himmel klart zunehmend auf.

**Gefahr:** Keine.

**Situation nach dem Foto:** Einsetzen von zunehmend milderem Klima mit Druckanstieg und kühlen Temperaturen.

# Cumulus humilis

**Datum:** 4. Mai 1993. 1 080 m. Nachmittag.

**Wetterlage:** Über dem Süden Aufsteigen warmer, labiler Luft auf der Vorderseite eines Tiefdruckgebietes über dem Südwesten, aber Hochdruckvorschub über dem Norden Frankreichs. Nordostwind. Temperatur 14-22 °C.

**Vorhersage:** Sonnig, aber schwaches Risiko gewittriger Platzregen am Abend, die sich am nächsten Tag verstärkten.

**Entfernung:** Verbreitete Wolken ungefähr 1 000 m über dem Erdboden.

**Bildanalyse:** Trotz einer über dem Südwesten stagnierenden, gewittrigen Labilität erlaubt der hohe Druck keine Vertikalentwicklung dieser Cumuluswolken (im allgemeinen als Schönwetteranzeiger eingestuft). Ihre Struktur läßt keine bedeutenden Konvektionsbewegungen vermuten.

**Richtung / Geschwindigkeit:** Langsam, Nordost ➛ Südwest.

**Entwicklung:** Im allgemeinen lockern sich diese Wolken auf und verschwinden am Abend schließlich ganz. Bei Druckabfall kann ihre Vertikalausbreitung hingegen zunehmen.

**Gefahr:** Keine. Beobachten Sie die Vertikalentwicklung am Abend.

**Situation nach dem Foto:** Am nächsten Tag treten über den südlichen Bergen und Tälern einige Gewitter auf.

*Siehe Seiten 54, 55* 2

# Vorgewittrige Entwicklungen

**Datum:** 7. Mai 1995. 1 150 m. Vormittag.

**Wetterlage:** Abfallender Druck, Vorrücken einer Kaltfront. Gewitter über dem Südwesten. Schwacher Süd-Südostwind. Temperatur 21-26 °C.

**Vorhersage:** Gewitterrisiko, besonders über den höher liegenden Gebieten.

**Entfernung:** Ungefähr 13 km Richtung Nordosten.

**Bildanalyse:** Haufenwolkenentwicklung im mittleren Stockwerk (hohe Basen) mit flachem Gipfel. Die geringe Wolkendichte läßt kaum auf elektrische Aktivität schließen. Eine halbe Stunde später waren jedoch – herbeigeführt durch eine kaum stärker entwickelte Cumulonimbus – aus derselben Richtung die ersten Donnerschläge zu vernehmen. Diese Gewitterart ist äußerst selten.

**Richtung/Geschwindigkeit:** Ziemlich langsam, West ➛ Ost, dann West-Nordwest ➛ Ost-Südost.

**Entwicklung:** Nachmittags Gewitterwahrscheinlichkeit bei Vorrücken einer Kaltfront.

**Gefahr:** Zunächst keine. Relativ schwaches Gewitterrisiko.

**Situation nach dem Foto:** 30 Minuten später Gewitter über dem Beobachtungsstandort, dann über den Bergen östlich ein zweites Gewitter. Ungefähr 90 km in nord- und südöstlicher Richtung Gewitter über den Bergen.

*Siehe Seiten 22, 102*

*Siehe Seiten 18, 19, 21, 24* 2

# Cumulus congestus

54

**Datum:** 5. Mai 1993. 1 050 m. Früher Nachmittag.

**Wetterlage:** Tiefdruckgebiet über dem Südwesten. Hochdruckgebiet über dem Norden. Warme Südweströmung. Mäßiger Südwind. Temperatur 24-30 °C.

**Vorhersage:** Schwül und gewittrig mit Gewittern in der Nacht.

**Entfernung:** 20 km Richtung Südwesten.

**Bildanalyse:** Einleitende Phase einer Gewitterbildung. Trotz ihres bedrohlichen Aussehens stellen diese Cumuli ein Anzeichen von einer Abschwächung dar, insbesondere im Abschnitt A1 A2-B1 B2, in dem das Verschwinden der aufgetürmten Bereiche einen Feuchtigkeitsmangel sowie hohen Druck anzeigt. In solchen Situationen spielen die örtlichen Faktoren bei der Entwicklung einer Cumulonimbuswolke eine entscheidende Rolle. Manchmal löst eine Temperaturzunahme von 1 bis 2 °C oder partielle Feuchtigkeitszufuhr ein Gewitter aus.

**Richtung / Geschwindigkeit:** Mäßig, Südost ➛ Nordwest.

**Entwicklung:** Bis zur Entstehung einer Cumulonimbus Schwankungen zwischen aufsteigenden und absinkenden Luftmassen. Voraussichtlich Gewitter am Abend.

**Gefahr:** Verstärkte Gewitterwahrscheinlichkeit über den höheren Gebieten.

**Situation nach dem Foto:** Gewitter am Abend über der süd- und südwestlichen Umgebung.

*Siehe Seite 55*
*Siehe Seite 52* 2

# Orographische Cumulus congestus

**Datum:** 5. Mai 1993. 1 588 m. Später Nachmittag.

**Wetterlage:** Tiefdruckgebiet über dem Südwesten. Hochdruckgebiet über dem Norden. Warme Südweströmung. Mäßiger Südwind. Temperatur 24-30 °C.

**Vorhersage:** Schwül und gewittrig mit Ausbreitung von nächtlichen Gewittern.

**Entfernung:** Vordergrund 5 km Richtung Süd-Südwesten.

**Bildanalyse:** Ähnliche Situation wie auf der vorherigen Seite. Die Temperatur ist jedoch angestiegen und der Druck etwas abgefallen, die Cumulus congestus wirken dichter. Ein Gewitter ist wahrscheinlich, insbesondere in der Höhe der linken Cumulus (A1 A2-B1 B2). Die Basis der rechten Cumulus (Linie B) ist klar abgegrenzt und beständig. In unbeständigen Situationen kann der Einfluß des Reliefs für die Bildung einer Cumulonimbus ausschlaggebend sein.

**Richtung / Geschwindigkeit:** Mäßig bis langsam, Südost ➛ Nordwest.

**Entwicklung:** Starke Gewitterwahrscheinlichkeit innerhalb der nächsten halben Stunde.

**Gefahr:** Gefahr von Blitzschlägen, falls sich das Gewitter in Richtung des Betrachters entwickelt, was in Anbetracht der Aufwinde möglich ist.

**Situation nach dem Foto:** 15 Minuten später Gewitter mit seitlicher Ausdehnung über den Standort. Später schweres Gewitter über dem Südosten.

*Siehe Seite 54*

*Siehe Seite 52* 2

# Cumulus congestus

**Datum:** 5. April 1995. 1 080 m. Später Vormittag.

**Wetterlage:** Hochdruckverhältnisse. Nordostwind, nach Südosten drehend. Temperatur 17-26 °C.

**Vorhersage:** Schön, Entwicklung von Wolken über den Geländeerhebungen.

**Entfernung:** 40 km Richtung Südosten.

**Bildanalyse:** Aufbau eines isolierten konvektiven Systems. Diese morgendliche Bildung von klar strukturierten Quellwolken mit beständiger Vertikalentwicklung ist ein sicherer Vorbote für eine Gewitterentwicklung im Tageslauf. Abends würde die gleiche Formation eine geringere Gewitterneigung anzeigen.

**Richtung/Geschwindigkeit:** Fast keine, Südwest ➛ Nordost, am Abend dann West ➛ Ost.

**Entwicklung:** Entstehung einer Cumulonimbus in den beiden folgenden Stunden. Den ganzen Tag über Gewitterrisiko.

**Gefahr:** Keine, solange keine nahen Wolkenauftürmungen zu erkennen sind. Während dieser Jahreszeit besteht auf der Rückseite der Gewitter in den Hagelzonen ein Risiko starker, positiv geladener Blitze.

**Situation nach dem Foto:** Bildung mehrerer Cumulonimben über der Umgebung. Intensive Blitzschläge, einer von ihnen schlug in das Dach eines Hauses ein.

# Cumulus congestus unter Cirren

57

**Datum:** 17. Mai 1994. 1 100 m. Früher Nachmittag.

**Wetterlage:** Tiefdruckgebiet im Südwesten. Durchzug eines Tiefdrucktroges. Südwestströmung. Südwestwind, am Abend nach Westen drehend. 15-20 °C.

**Vorhersage:** Am Nachmittag und Abend gewittrige Platzregen.

**Entfernung:** Im Vordergrund 15 km Richtung Ost-Nordosten.

**Bildanalyse:** Nachmittags Entwicklung einer Cumulus congestus-Reihe. Diese Wolken begünstigen Gewitter, wohingegen die sich verdichtenden Cirrus-Bänke aufsteigende Bewegungen einschränken. Westlich eine mächtige Wolkendecke, Gewitterwolken im Osten.

**Richtung / Geschwindigkeit:** Mäßig, Südwest ➛ Nordost.

**Entwicklung:** Wie oft in solchen Situationen entwickeln sich wahrscheinlich Cumulonimben mit tiefen Ambossen unter den Cirren. Wenig intensive Gewitter, es sei denn die Wolkenschicht in der Höhe wird durchbrochen.

**Gefahr:** Örtliche Gewitter und Entwicklung einer gewittrigen Linie westlich.

**Situation nach dem Foto:** Durch die Ausdehnung dieser Cumulus congestus entwickelt sich eine Cumulonimbus mit einem Amboß geringer Dichte. Eine Stunde später Gewitter gegenüberliegend zum Betrachter, dann ca. 90 km in nordöstlicher Richtung. Abends starke Gewitter über dem Standort.

*Siehe Seite 121* 2

# Entwicklung von Cumulus calvus aus Cumulonimbus congestus

58

**Datum:** 10. August 1994. 950 m. Später Nachmittag.

**Wetterlage:** Tiefdruckströmung aus Südwesten. Heißes (27-35 °C am Vortag) und gewittriges Wetter. Abfallender Druck. Südwestwind. Temperatur um 20 °C.

**Vorhersage:** Stark bewölkt mit Gewitterregen und Hagelschlägen.

**Entfernung:** Ungefähr 15 km Richtung Nordost.

**Bildanalyse:** Auf der Rückseite einer Gewitterlinie über dem Osten tauchen Cumuli in der frischen Luft auf. In der vorangegangenen Nacht und am Vormittag sehr heftige Gewitter über dem Westen. Bei dieser Wetterlage ist das abendliche Auftauchen von Konvektionswolken nicht selten, aber die manchmal losbrechenden Gewitter sind schwach und sehr vereinzelt.

**Richtung/Geschwindigkeit:** Mäßig, West ➛ Ost.

**Entwicklung:** Eine Entwicklung von Cumulonimben ist möglich, die lockeren Wolkenränder im Bildabschnitt A1 und A2 sind jedoch ein Zeichen von Auflösung. Wenig beständige Einbuchtungen in den aufgetürmten Bereichen.

**Gefahr:** Keine, sofern der Himmel in der gegenüberliegenden Richtung klar bleibt. Bleiben Sie wachsam, solange diese Entwicklungen fortbestehen.

**Situation nach dem Foto:** Am Abend fortschreitende Entfernung und Zerstreuung der letzten Cumuli.

*Siehe Seiten 59, 108*

*Siehe Seite 29* 2

# Haufenwolkenreihe

**Datum:** 10. August 1994. 1 020 m. Später Abend.

**Wetterlage:** Tiefdruckströmung aus Südwesten. Sehr heißes (27-35 °C am Vortag) und gewittriges Wetter. Abfallender Druck. Südwestwind. Mittlere Temperatur 20 °C.

**Vorhersage:** Sehr bewölkt mit Gewitterregen und Hagelrisiko.

**Entfernung:** Ungefähr 70 km Richtung Ost-Südosten.

**Bildanalyse:** Diese wenig strukturierte Cumulusreihe wurde durch das parallel verlaufende Relief hervorgerufen. Ebenso wie auf Seite 58 fehlt es den Wolken an Dichte, die kühle Luft und der Anstieg des Druckfeldes erlauben kaum die Bildung beständiger Wolken. Ausgenommen ist die Cumulonimbus calvus (B2), die ein Zeichen von Schwäche darstellt (baumwollförmiges Aussehen).

**Richtung / Geschwindigkeit:** Mäßig, West ➛ Ost.

**Entwicklung:** In den Abschnitten B2 und eventuell C1 ist eine Entwicklung von Gewitterschauern möglich, gefolgt von einer klaren Nacht.

**Gefahr:** Keine, Gewitter ausgeschlossen. Die Altocumuli (A2) und (B) weisen auf zunehmende Stabilität hin.

**Situation nach dem Foto:** Auflösung der Cumulusreihe und Umwandlung in Stratocumuli und Altocumulus cumulogenitus, klare Nacht.

*Siehe Seiten 58, 108*

*Siehe Seite 29* 2

# Morgendliche Restgewitter

60

**Datum:** 18. Juli 1994. 390 m. Morgendämmerung.

**Wetterlage:** Verschiebung eines gewittrigen Tiefdrucktroges Richtung Westen. Nachts über dem Norden sehr elektrische Gewitter. Süd-Südwestwind. Temperatur 28-34 °C.

**Vorhersage:** Schwül und gewittrig. Örtlich schwere Gewitter. Böen und Hagelrisiko.

**Entfernung:** Ungefähr 45 km Richtung Osten-Südosten.

**Bildanalyse:** Morgendliche Rückstände von sehr heftigen nächtlichen Gewittern ziehen ost-südostwärts ab. Die Wolkenschichten im Bildstreifen AB deuten auf eine Abschwächung der Labilität hin. Weiter entfernt (Linie C und B1) läßt ein Haufenwolkenstreifen kleine Gewitter vermuten. Im allgemeinen verursachen diese Strukturen kurze und vereinzelt auftretende Entladungen.

**Richtung / Geschwindigkeit:** Langsam, vom Beobachter weg, W-NW➤ O-SO.

**Entwicklung:** Im allgemeinen Zerstreuung der Gewitter kurz nach Sonnenaufgang. Dann Auftreten von Dunst, Altocumuli und Cirrus spissatus.

**Gefahr:** Beobachten Sie, ob sich westlich Gewitter bilden. Die Gefahr kann in der Wolkenmasse fortbestehen.

**Situation nach dem Foto:** Abzug der letzten Gewitter Richtung Norden. Auflösung oder Ausbreitung der bedrohlichen Wolken.

*Siehe Seite 70* 2

# Morgendliche Bildung einer Böenlinie

**Datum:** 21. Januar 1995. 70 m. Vormittag.

**Wetterlage:** Nachts vereinzelte Gewitter, starke Regenfälle und Sturm. Aufeinander folgende Böenlinien. Sturm (140 km/h in der Nacht). Südwestwind, dann Westwind. Temperatur 7-10 °C.

**Vorhersage:** Wind mit Hagel- und Graupelschauern, manchmal in Begleitung von Gewittern. Sturmwarnung für die nächsten Tage. Starke Regenfälle.

**Entfernung:** Ungefähr 40 km Richtung Westen.

**Bildanalyse:** Aufeinander folgende, kleine Cumulonimbus calvus (Streifen AB). In der Nacht verursachen identische Wolken einige wenige Blitze. Die Köpfe der Cumulus fractus (Linie C) haben eine den Cumulonimben entgegengesetzte Neigung. Diese Haufenwolken kennzeichnen eine starke Labilität.

**Richtung/Geschwindigkeit:** Ziemlich schnell, Südwest ➛ Nordost.

**Entwicklung:** Hohe Wahrscheinlichkeit von gewittrigen Platzregen. Tagsüber Böen oder Gewitterschauer. Risiko von Blitzschlägen und starken Stürmen.

**Gefahr:** Beim Durchzug einer Bö Gewitterrisiko mit stark geladenen Blitzschlägen. Über dem Meer kräftiger Wind und Risiko von Blitzschlägen.

**Situation nach dem Foto:** Etwas später Durchzug einer Bö (siehe Foto 107), Donnerschläge und Hagel. Tagsüber Durchzug von Böen (siehe Seite 106).

*Siehe Seiten 75, 106, 107*

# Cumulonimbus calvus mit hoher Basis

**Datum:** 6. August 1994. 1 100 m. Nachmittag.

**Wetterlage:** Hochdruckverhältnisse. Heiß und schwül. Schwacher Südwind. Temperatur 28-32 °C.

**Vorhersage:** Heiß und gewittrig am Nachmittag und am Abend.

**Entfernung:** Ungefähr 18 km Richtung Süden.

**Bildanalyse:** Bildung einer Cumulus calvus mit hoher Basis. Die geringe Dichte läßt ein relativ schwaches Gewitter mit möglicher elektrischer Aktivität in der Höhe vermuten. Die mehrfachen, aufgequollenen Wolkenköpfe beginnen sich seitlich auszudehnen und weisen auf eine stärkere Entwicklung hin.

**Richtung/Geschwindigkeit:** Langsam, West-Südwest ➛ Ost-Nordost.

**Entwicklung:** Ein schwaches Gewitter ist wahrscheinlich, zusätzlich besteht ein Risiko starker Gewitter bis zum späten Abend.

**Gefahr:** Gering, das Gewitter zieht links am Betrachter vorbei. Risiko seitlichen Ausbreitens und zahlreicher intensiver Gewitterbildungen am Abend.

**Situation nach dem Foto:** Eineinhalbstündiges Gewitter, im wesentlichen auf das mittlere Stockwerk beschränkt, gefolgt von einer Abfolge immer heftigerer Gewitter. Abends Bildung einer ausgedehnten Cumulonimbus. Schwere Gewitter über dem Standort (zahlreiche Schäden durch Blitzschlag).

*Siehe Seiten 28, 33, 64, 65* 2

# Cumulus congestus und mediocris

**Datum:** 2. Juli 1994. 400 m. Früher Nachmittag.

**Wetterlage:** Aufsteigen von trockener und warmer Luft aus südwestlicher Richtung. Gleichmäßiger Luftdruck. Windstille. Temperatur 29-34 °C.

**Vorhersage:** Sonnig und heiß. Abends Gewittertendenz über den Hügeln.

**Entfernung:** Der höchste Wolkenkopf ungefähr 40 km Richtung Süden.

**Bildanalyse:** Orographische Wolken von gewittrigem Charakter, aber geringer Beständigkeit. Die fehlenden Wolkenuntergrenzen verdeutlichen die dunstige Atmosphäre. Die unscharfe Strukturierung der Wolken und vor allem deren Gipfel verweisen auf Feuchtigkeitsmangel und zu hohen Luftdruck. Labilität zeigt die am stärksten entwickelte Wolke (A2), die schnell und heftig aufsteigt.

**Richtung / Geschwindigkeit:** Fast keine.

**Entwicklung:** Abfolge aufsteigender Bewegungen in blumenkohlähnlicher Form (A2), dann absinkende Bewegungen (B1), die am Abend häufig mit vereinzelten Gewittern enden. Die Gewittergefahr steigt über dem Hochgebirge.

**Gefahr:** In den folgenden Stunden keine, wenn der Himmel im Zenit blau bleibt. Abendliche Gewitter werden im allgemeinen nur in den existierenden Wolkenmassen ausgelöst, in der Umgebung bleibt der Himmel klar.

**Situation nach dem Foto:** Zwei bis drei Stunden später wenige Gewitter.

*Siehe Seiten 44, 91*

*Siehe Seiten 68, 69, 90* **2**

# Cumulus congestus

**Datum:** 7. August 1994. 620 m. Abend.

**Wetterlage:** In der Höhe schwache Südweströmung. Am Boden warme, aber trockene Luft. Schwacher Wind aus wechselnden Richtungen. Temperatur 27-31 °C.

**Vorhersage:** Sonnig und heiß, gewittrige Entwicklungen am Nachmittag.

**Entfernung:** Ungefähr 15 km Richtung Südost.

**Bildanalyse:** Späte Bildung einer Cumulus congestus. Die am stärksten quellende Partie (A1) erscheint ausreichend konstant für die Bildung einer Cumulonimbus. In diesem Fall wird sich die seitliche Ausdehnung des folgenden Gewitters ohne Zweifel im Streifen B1-B2 vollziehen.

**Richtung / Geschwindigkeit:** Sehr langsam Nordwest ➛ Südost.

**Entwicklung:** Hohe Gewitterwahrscheinlichkeit in der folgenden halben Stunde.

**Gefahr:** Keine, Verlagerung vom Betrachter weg. Beobachten Sie den Himmel Richtung Westen und Nordwesten. Bezugnehmend auf die auf Seite 33 beschriebene Situation besteht nachts oder am nächsten Tag Gewitterrisiko.

**Situation nach dem Foto:** Gewitterentwicklung in der südöstlichen Umgebung. In ca. 300 km Entfernung bildet sich nordwestlich eine mächtige Gewitterlinie. Nachts nördlich heftige Gewitter (zahlreiche Schäden, sintflutartige Niederschläge).

*Siehe Seiten 28, 33, 65*

*Siehe Seite 62* 2

# Gipfel einer Cumulonimbus calvus

**Datum:** 7. August 1994. 660 m. Später Abend.

**Wetterlage:** In der Höhe schwache, labile Südwestströmung. Am Boden warme, aber trockene Luft. Schwacher Wind aus wechselnden Richtungen. 27-31 °C.

**Vorhersage:** Sonnig und heiß, gewittrige Entwicklungen am Nachmittag.

**Entfernung:** 15 km Richtung Südosten.

**Bildanalyse:** Das Foto entstand eine halbe Stunde nach dem von Seite 64. Die Wolke ähnelt einer Cumulus congestus, aber die elektrische Aktivität kennzeichnet sie als Cumulonimbus calvus. Das Vorhandensein eines Ambosses für die Auslösung von Blitzen ist nicht gegeben. Ausgeprägte Konvektionsbewegungen. Auf der Rückseite bedecken gräuliche Altocumuli teilweise den Himmel.

**Richtung/Geschwindigkeit:** Sehr langsam, Nordwest ➛ Südost.

**Entwicklung:** Das Gewitter kann bis zum Einbruch der Nacht andauern.

**Gefahr:** Geringes Risiko, die Verlagerung erfolgt vom Betrachter weg. Verfolgen Sie die Entwicklung im Westen und Nordwesten. Mögliche Blitzschläge auf der Rückseite der Cumulonimbus. Nachts und am folgenden Tag Gewitterrisiko.

**Situation nach dem Foto:** Schnelle Abschwächung des Gewitters. In ca. 300 km Entfernung bildet sich im Nordwesten eine mächtige Gewitterlinie. Nachts heftige Gewitter im Norden (zahlreiche Schäden, sintflutartige Niederschläge).

*Siehe Seiten 28, 33, 64*

*Siehe Seite 62* 2

# Cumulonimbus calvus

66

**Datum:** 19. Juni 1994. 1 370 m. Nachmittag.

**Wetterlage:** Entstehung einer Gewitterperiode durch das Aufsteigen warmer und labiler Luft aus südöstlicher Richtung. In der Höhe strömt Kaltluft herein. Südwind, am Abend Westwind. Temperatur 25-30 °C.

**Vorhersage:** Zum Teil heftige Gewitterentwicklungen am Nachmittag und Abend. Hagel, Böen und starke Regenfälle sind möglich.

**Entfernung:** Ungefähr 35 km Richtung Südost.

**Bildanalyse:** Bei Verlagerung dieser Cumulonimbus calvus bleiben die mehrfachen und kompakten Gipfel erhalten. Zwei Stunden vor der Aufnahme löste eine riesige Cumulonimbus Hunderte von Blitzschlägen über der nordöstlichen Umgebung aus. Später wütete das gleiche System weiter nördlich.

**Richtung / Geschwindigkeit:** Mäßig, Ost-Nordost ➛ West-Südwest.

**Entwicklung:** Zunehmende Verlagerung nach Nordosten. Abkühlung auf der Rückseite der Gewitter.

**Gefahr:** Keine, sofern der gegenüberliegende Himmel blau bleibt und eine Winddrehung nach rechts durch einen Temperatursturz begleitet wird.

**Situation nach dem Foto:** Langsame Verlagerung der Gewitterlinie Richtung Osten. Im Südwesten Bildung vereinzelter Cumulonimben.

*Siehe Seiten 86, 98, 99* 2

# Cumulonimbus calvus

**Datum:** 3. August 1992. 470 m. Nachmittag.

**Wetterlage:** Abschwächung eines Tiefdruckgebietes. Im Westen gestörte Strömung. Am Boden Südwind, dann Südwestwind. Temperatur 25-29 °C.

**Vorhersage:** Lokal starke Gewitterentwicklungen am Abend.

**Entfernung:** Ungefähr 30 km Richtung Norden (linke Wolke).

**Bildanalyse:** Deutlich strukturierte Cumulonimbus calvus. Wenig später erscheinen Blitze. Weiter rechts zieht eine weitere Cumulonimbus in Richtung Ost-Nordost. Wenn die Warmluft der Ebenen an den Berghängen aufgleitet, bildet sich ein Band aus orographischen Cumulonimben und ein für diese Region typischer Gewitterhimmel entsteht.

**Richtung / Geschwindigkeit:** Mäßig, Südwest ➛ Nordost.

**Entwicklung:** Starke Gewitter über den Geländeerhebungen mit ausgiebigen Niederschlägen. Mit Einbruch der Nacht schwächt sich das Gewitter ab.

**Gefahr:** Gering. Das Gewitter zieht in nordöstliche Richtung ab. Das Gewitterrisiko bleibt jedoch bis zum Abend bestehen.

**Situation nach dem Foto:** Aufeinander folgende Gewitter über den Bergketten der Umgebung. Vor allem zu Beginn der Gewitter elektrische Entladungen und örtlich Hagel. Beendigung der Gewitter am Abend.

*Siehe Seite 92*     *Siehe Seite 73* 2

# Cumulonimbus calvus

**Datum:** 1. Juli 1994. 1 195 m. Nachmittag.

**Wetterlage:** Schön und sehr heiß. Verlagerung eines Hochdruckgebietes nach Osten. Aufsteigen von aus dem Südwesten kommender labiler und warmer Luft. Schwacher Wind aus wechselnden Richtungen. Temperatur 29-35 °C.

**Vorhersage:** Am Abend Gewitterneigung über den Geländeerhebungen.

**Entfernung:** Ungefähr 40 km Richtung Osten.

**Bildanalyse:** Konvektionsgewitter. Sehr dichte und beständige Cumulonimbus calvus. Ihre Struktur reicht für die Entwicklung eines Gewitters vollkommen aus. Weitere Haufenwolken auf der Rückseite weisen auf andauernden Zufluß und somit langer Lebensdauer des Gewitters hin.

**Richtung / Geschwindigkeit:** Weiterentwicklung am Ort, sehr langsame Verlagerung, Süd-Südwest ➛ Nord-Nordost.

**Entwicklung:** Ein ziemlich lang andauerndes Gewitter steht mit Sicherheit bevor. Hagel ist wahrscheinlich. Möglichkeit eines trockenen Gewitters.

**Gefahr:** Keine, sofern der Himmel in der Umgebung und im Zenit blau bleibt.

**Situation nach dem Foto:** Nachmittags wütete ein Gewitter über der Region. Später unerwartete Bildung einer Konvergenzlinie im Nordwesten. Heftige Gewitter im Nordwesten. In der Nacht sehr elektrische Gewitter nördlich.

*Siehe Seiten 69, 90*

*Siehe Seiten 44, 63, 91* 2

# Cumulonimbus calvus und capillatus

**Datum:** 1. Juli 1994. 700 m. Nachmittag.

**Wetterlage:** Schön und sehr heiß. Verlagerung eines Hochdruckgebietes nach Osten. Aufsteigen von aus dem Südwesten kommender, labiler Warmluft. Schwacher Wind aus wechselnden Richtungen. Temperatur 29-35 °C.

**Vorhersage:** Am Abend Gewitterneigung über den Geländeerhebungen.

**Entfernung:** Ungefähr 35 km Richtung Osten.

**Bildanalyse:** Konvektionsgewitter. Auf seiner Rückseite sehr aktiver Cumulonimbus mit Blitzschlägen im Bereich AB. Hohe Hagelwahrscheinlichkeit. Rasche Verbreitung und geringe Beständigkeit der Amboß-Vorderseite.

**Richtung / Geschwindigkeit:** Langsame Verlagerung, Süd-Südwest ➛ Nord-Nordost.

**Entwicklung:** Gewitter im Augenblick der Aufnahme. Möglichkeit eines trokkenen Gewitters auf der Rückseite der Cumulonimbus calvus. Die Gewitterneigung bleibt bis zum Abend bestehen.

**Gefahr:** Nein, wenn der Himmel hinter dem Beobachter und im Zenit blau bleibt.

**Situation nach dem Foto:** Trockene Gewitter mit Blitzschlägen. Unerwartete Bildung einer Konvergenzlinie im Nordwesten. Heftige Gewitter im Nordwesten bei Einbruch der Nacht. Nachts sehr elektrische Gewitter nördlich.

*Siehe Seiten 68, 90*

*Siehe Seiten 44, 63, 91* 2

# Ferne Cumulonimbus

70

**Datum:** 17. Juli 1994. 1 080 m. Später Abend.

**Wetterlage:** Hochdruckverhältnisse auf der Vorderseite einer Gewitterzone im Westen. Verlagerung eines Tiefdrucktroges Richtung Westen. Am Vormittag sehr elektrische Gewitter im Westen. Süd-Südwestwind. Temperatur 28-34 °C.

**Vorhersage:** Schwül und gewittrig. Starke Gewitter. Böen und Hagelrisiko.

**Entfernung:** Ungefähr 110 km Richtung Nordost.

**Bildanalyse:** Gewitterbildung in einer sehr warmen Luftmasse. Obwohl diese ferne Wolke harmlos wirkt, ist sie typisch für ein starkes Gewitter (mehrfache, ausgeprägte Ausbuchtungen). Der Eindruck einer fehlenden Basis entsteht durch die große Entfernung und die unklaren Sichtverhältnisse nahe dem Boden.

**Richtung/Geschwindigkeit:** Stationäres, vergrößerndes Gewitter, NO → SW.

**Entwicklung:** Im allgemeinen lösen sich diese Wolken mit dem Einbruch der Nacht auf. Beim Heranrücken eines Tiefdrucktroges können sich jedoch noch spät neue Gewitterzellen in der zerfallenden Masse bilden.

**Gefahr:** Keine. Wenn sich der Himmel westwärts bedeckt, steigt die Wahrscheinlichkeit nächtlicher Gewitter. Heftige und sehr elektrische Gewitter.

**Situation nach dem Foto:** Auflösung der Cumulonimbus, nachts heftige Gewitter. Ausbreitung nach Süd-Südosten. Nördlich Blitze und starke Niederschläge .

*Siehe Seiten 26, 60* 

# Wenig aktiver Cumulonimbus capillatus incus

**Datum:** 4. Juli 1991. 1 100 m. Abend.

**Wetterlage:** Schön und heiß. Ein Hochdruckgebiet schwächt sich beim Heranziehen einer Kaltfront aus westlicher Richtung ab. Trockene Luft. 28-30 °C.

**Vorhersage:** Schön und Heiß. Gewitterrisiko am nächsten Tag.

**Entfernung:** Ungefähr 45 km Richtung Osten.

**Bildanalyse:** Vereinzelter, unbeständiger Cumulonimbus. Im Reifestadium wandelt sich der Gipfel des Cumulus in einen faserigen Amboß von geringer Dichte um (A1-A2). Rechts lassen zwei Cumulus congestus (B2-B3) eine etwas stärkere Gewitterbildung vermuten. Die vertikalen Quellungen sind jedoch gering.

**Richtung / Geschwindigkeit:** Sehr langsam, Südwest ➛ Nordost.

**Entwicklung:** Bei Rückgang der Sonneneinstrahlung schwächt sich die Gefahr einer Gewitterentwicklung ab, außer im Westen beim Vorrücken der Front. Starke Gewitterwahrscheinlichkeit in der späten Nacht oder am nächsten Tag.

**Gefahr:** Keine, der Cumulonimbus zieht nicht zum Betrachter hin. Unter der Wolke leichtes Blitzschlagsrisiko. Elektrische Aktivität im wesentlichen zwischen den Wolken. Die Lebensdauer dieser Gewitter ist kaum länger als 15 min.

**Situation nach dem Foto:** Wenige Blitze bis zum späten Abend. Nachts mäßig starke Gewitter im Westen, am nächsten Nachmittag über der Region.

# Vereinzelter Cumulonimbus capillatus incus

72

**Datum:** 29. Juni 1987. 300 m. Tagende.

**Wetterlage:** Hochdruckgebiet (1 023 hPa). Gleichmäßige Luftmasse. Gewittrige Labilität über dem Südwesten. Wellenfront im Westen. Windstille. 28-32 °C.

**Vorhersage:** Schön und heiß. Gewitter am folgenden Tag.

**Entfernung:** 50 bis 60 km Richtung Südwest.

**Bildanalyse:** Trotz des hohen Luftdrucks isoliertes, aber sehr aktives Konvektionsgewitter,. Höhe 12 500 m. Der über 40 km ausgedehnte Amboß zeigt eine beständige Versorgung des Gewitters an. Die Ausrichtung des Ambosses (Südwest – Nordost) verläuft parallel zur allgemeinen Strömung. Das mäßig bis ziemlich starke Gewitter kann sehr elektrisch sein, insbesondere zwischen den Wolken. Hagel möglich.

**Richtung / Geschwindigkeit:** Keine, unbewegliches Gewitter.

**Entwicklung:** Möglicherweise Neubildung in der Masse bis in die frühe Nacht. Diese Gewitter klingen normalerweise mit der nächtlichen Abkühlung ab.

**Gefahr:** Keine. Verfolgen Sie den Horizont Richtung Westen.

**Situation nach dem Foto:** Bildung von zwei weiteren Gewittern über demselben Ort bis in die frühe Nacht. In den aktivsten Phasen alle 30 bis 40 Sekunden. Blitzschläge sowie ein aufwärtsgerichteter Blitz außerhalb des Gewitters.

*Siehe Seite 126*

*Siehe Seiten 78, 79, 82* 2

# Ausbreitung einer Cumulus unter einer Temperaturinversion

**Datum:** 2. August 1992. 1 080 m. Später Abend.

**Wetterlage:** Hochdrucklage. Störung im Westen. Schwacher Bodenwind aus wechselnden Richtungen. In der Höhe Ost-Nordostwind. 26-32 °C.

**Vorhersage:** Heiß und sonnig. Leichte Gewitterneigung am Abend.

**Entfernung:** Ungefähr 20 km.

**Bildanalyse:** Plötzliche Entwicklung einer vertikal mächtigen Cumulus congestus, gefolgt von einer Ausbreitung des Gipfels unter einer Temperaturinversion. Die charakteristische Amboßbildung erfolgt hier im mittleren Stockwerk. Sie verläuft von Nordost Richtung Südost. Auf der Unterseite bilden sich mammatus. Eine Verwechslung mit einer Cumulonimbus ist möglich.

**Richtung / Geschwindigkeit:** Sehr langsam, Nordwest ➛ Südost.

**Entwicklung:** Im allgemeinen Umbildung in Stratocumulus und Altocumulus cumulogenitus (Unterbrechung der Sonneneinstrahlung und zu hoher Druck).

**Gefahr:** Keine. Verfolgen Sie eventuelle spätere Entwicklungen.

**Situation nach dem Foto:** Ausbreitung, Gewitter am nächsten Tag.

*Siehe Seiten 67, 92* 

# Vereinzelte Cumulonimbus capillatus incus

**Datum:** 16. August 1988. 1 100 m. Abend.

**Wetterlage:** Warme, sich nach Westen orientierende Süd-Südweströmung mit Abkühlungen. Schwacher Westwind, dann Nordwestwind. 24-26 °C.

**Vorhersage:** Abzug Richtung Osten. Leichtes Gewitterrisiko im Süden.

**Entfernung:** Im Vordergrund ungefähr 40 km Richtung West-Nordwest.

**Bildanalyse:** Cumulonimben auf der Rückseite einer gewittrigen Kaltfront. Sie sind aus der Entwicklung einer Stratusschicht über einem Tal (verursacht durch ausgiebige Regenfälle bei vorhergehenden Gewittern) in Cumulus congestus entstanden. Südweströmung. Die Ambosse verlaufen von Südost nach Nordwest. Die elektrische Aktivität findet zweifellos im wesentlichen zwischen den Wolken statt. Risiko von Blitzschlägen aus den Gipfeln.

**Richtung / Geschwindigkeit:** Sehr langsam, West-Südwest ➛ Ost-Nordost.

**Entwicklung:** Im allgemeinen Zerstreuung und Umbildung in Stratocumulus cumulonimbogenitus. Wenn die Luft nicht zu kühl ist und der Wind nicht nach Osten dreht, besteht ein Risiko von Gewitterentwicklungen in der Wolkenmasse.

**Gefahr:** Keine, sofern die Wolke sich in der frühen Nacht aufgelöst hat. Wenn die Zone A weiterhin aufquillt, Gewitterrisiko in der frühen Nacht.

**Situation nach dem Foto:** Endgültige Auflösung der beiden Cumulonimben und der Zone A. Spät in der Nacht Gewitter 120 km entfernt Richtung Westen.

# Winterliche Cumulonimbus Gewitter am Meer

**Datum:** 21. Januar 1995. 2 m. Nachmittag.

**Wetterlage:** Nachts einzelne Gewitter, starke Regenfälle und Sturm (140 km/h in der Nacht). Südwestwind, dann Westwind. Temperatur 7-10 °C.

**Vorhersage:** Heftiger Wind mit Hagel- und Graupelschauern, manchmal von Gewittern begleitet. Sturmwarnung für die nächsten Tage. Starke Regenfälle.

**Entfernung:** 30 bis 35 km Richtung Westen. Ziemlich tiefe Gipfel.

**Bildanalyse:** Böenlinie. Die Helligkeit sowie die Position der Sonne verhindern ein Erkennen der Ambosse dieser Cumulonimben, deren gelblichweiße Randbereiche mit einfachen Höhenwolken verwechselt werden könnten. Nur die gräulichen und dunkleren Bereiche lassen eine Beständigkeit vermuten.

**Richtung / Geschwindigkeit:** Sehr schnell, West ➛ Ost.

**Entwicklung:** Die Cumulonimben sind in einer Reihe angeordnet. In der folgenden halben Stunde wird eine gewittrige Böenlinie über dem Standort wüten. Bis zur Nacht folgen wahrscheinlich mehrere Gewitterperioden.

**Gefahr:** Gefahr von Blitzschlägen und heftigen Winden. Am Strand Gefahr von Blitzschlägen und großen Wellen. Hohe Wahrscheinlichkeit positiv geladener Blitze.

**Situation nach dem Foto:** Nach einer halben Stunde Bö mit Hagel. Heftiger Wind. Einzelne Blitze. Durchzug von drei weiteren Böen bis zur Nacht

*Siehe Seiten 61, 106, 107*

# Ausgedehnter konvektiver Gewitterkomplex

**Datum:** 8. August 1993. 1 000 m. Später Nachmittag.

**Wetterlage:** Durchzug eines gewittrigen Tiefdrucktroges. Südweströmung. Am Boden Südwestwind, Westwind, dann Nordwind. Temperatur 20-26 °C.

**Vorhersage:** Bedeckter Himmel und Risiko gewittriger Platzregen.

**Entfernung:** Ungefähr 100 km Richtung Ost.

**Bildanalyse:** Cumulonimbusreihe parallel zu einer Bergkette. Der zwischen den Markierungen 1 und 2 ausgedehnte Komplex stellt eine Zone von Gewitterregen in der Abenddämmerung dar. Die dichteren Köpfe (1 und 2) gehen mit relativ intensiven Gewittern einher. Auf der Rückseite lassen mehrfache Quellungen auf eine Fortführung dieser Gewitter schließen.

**Richtung/Geschwindigkeit:** Ziemlich langsam, Südwest ➛ Nordost.

**Entwicklung:** Vorrücken des Gewitterkomplexes in nordöstliche Richtung.

**Gefahr:** Keine, das Gewitter zieht vom Betrachter weg. Verfolgen Sie eventuelle Konvektionsbewegungen am späten Abend.

**Situation nach dem Foto:** Beendigung der Gewitter. Klare Nacht.

*Siehe Seite 77*

# Konvektiver Gewitterkomplex

**Datum:** 8. August 1993. 1 050 m. Abend.

**Wetterlage:** Durchzug eines gewittrigen Tiefdrucktroges. Südwestströmung. Am Boden Südwestwind, Westwind, dann Nordwind. Temperatur 20-26 °C.

**Vorhersage:** Bedeckter Himmel und Risiko gewittriger Platzregen.

**Entfernung:** Ungefähr 40 km Richtung Ost-Nordost.

**Bildanalyse:** Mächtige und sehr aktive Cumulonimbus. Ziemlich dichter Amboβ, der sich im Inneren teilweise erneuert (A1). Konvektionsbewegungen auf der Rückseite (B2) weisen auf eine starke Regeneration des Gewitters in dieser Partie hin. Dieser Typ der Haufenwolkenbildung ist sehr beständig und ein Vorbote von starken und sehr elektrischen Gewittern. Hagel ist möglich. Von den Gipfeln geht ein Risiko von Blitzschlägen aus.

**Richtung/Geschwindigkeit:** Mäßig, West-Südwest ➛ Ost-Nordost.

**Entwicklung:** Abzug vom Betrachter weg. Das Himmelsblau und das Weiß der Wolken zeigen eine Abkühlung der Luftmasse an. Abnehmendes Gewitterrisiko.

**Gefahr:** Keine, wenn der Himmel in der gegenüberliegenden Richtung wolkenlos ist.

**Situation nach dem Foto:** Beendigung der Gewitter. Verlagerung Richtung Osten.

⏱ *Siehe Seite 76*

# Cumulonimbus capillatus incus

78

**Datum:** 30 Juni 1987. 312 m. Später Nachmittag.

**Wetterlage:** Hochdruckgebiet (1 020 hPa). Eine Kaltfront im Norden zieht Richtung Südosten. Schwacher Wind. Temperatur 31 °C.

**Vorhersage:** Risiko heftiger Gewitter.

**Entfernung:** Mehr als 100 km Richtung Süd-Südost.

**Bildanalyse:** Bestimmte Charakteristika kündigen ein ausgedehntes und schweres Gewitter an: sehr dichter und klar abgegrenzter Amboß (A1-A2); starke Quellungen (Cumulonimbus calvus) auf der Rückseite (B3-B4) erlauben eine konstante Erneuerung des Gewitters im Südwesten; sehr hoher Gipfel (oberhalb von 11 000 Meter). Sehr heftiges Hagelgewitter mit starker Wahrscheinlichkeit eines trockenen Gewitters in der Zone A2-A3.

**Richtung / Geschwindigkeit:** Sehr langsam, West-Südwest ➛ Ost-Nordost.

**Entwicklung:** Lang andauerndes Gewitter, das sich möglicherweise auf der Rückseite stark ausdehnt.

**Gefahr:** Keine, sofern der Himmel in den anderen Richtungen klar bleibt.

**Situation nach dem Foto:** Starke Ausdehnung des Gewitters (siehe Seite 79). Am Abend Gewitter am Ort. Am Anfang der Nacht dann Richtung Nordost.

*Siehe Seiten 79, 82*

*Siehe Seiten 72, 126* 2

# Cumulonimbus capillatus incus

**Datum:** 30. Juni 1987. 269 m. Später Nachmittag.

**Wetterlage:** Hochdruckgebiet (1 020 hPa). Eine Kaltfront im Norden zieht Richtung Südosten. Schwacher Wind. Temperatur 31 °C.

**Vorhersage:** Risiko heftiger Gewitter.

**Entfernung:** Über 100 km Richtung Süd-Südost.

**Bildanalyse:** Weiterentwicklung der Cumulonimbus der letzten Seite (40 Minuten später). Der Amboβ (A1-A2) hat sich weiter ausgedehnt. In gröβerer Entfernung hat sich durch das Zusammenwachsen der beiden Cumulonimbus calvus (B3-B4 auf der Seite 78) ein zweiter gebildet (B2-B3). Ein gewaltiger Amboβ, der sich auf der Rückseite des Gewitters ausbreitet und dabei seine Dichte beibehält, ist ebenfalls Kennzeichen eines heftigen Gewitters mit Blitzschlägen. Zwei sich entwickelnde Haufenwolken sichern das Fortbestehen des Gewitters.

**Richtung / Geschwindigkeit:** Sehr langsam, West-Südwest ➛ Ost-Nordost.

**Entwicklung:** Andauerndes Gewitter, das sich evtl. auf der Rückseite ausdehnt.

**Gefahr:** Keine, sofern der Himmel in den anderen Richtungen klar bleibt.

**Situation nach dem Foto:** Verlagerung Richtung Westen und Fortdauer des Gewitters in den nächsten Stunden. Abends Gewitter, dann in der frühen Nacht Richtung Nordosten.

*Siehe Seiten 78, 82*

*Siehe Seiten 72, 126* 2

# Cumulonimbus capillatus incus. Heftiges Gewitter

80

**Datum:** 19. Juni 1993. 1 100 m. Abend.

**Wetterlage:** Barometrischer Sumpf mit Tiefdrucktendenz. Kaltlufttropfen in der Höhe. Aufsteigen warmer und labiler Luft aus südwestlicher Richtung. Schwacher Südwestwind. Temperatur 25-31 °C.

**Vorhersage:** Warm und sonnig, dann Bildung von Haufenwolken über den Geländeerhebungen und einige Donnerschläge am Abend.

**Entfernung:** 45 km Richtung Osten.

**Bildanalyse:** Diese einzelne, aber riesige Cumulonimbus mit hohem Gipfel umfaßt die Merkmale heftiger Gewitter: mächtiger, stufenförmiger und dichter Amboß (B3-C3), der sich nach Südwesten ausdehnt. Eingeschränkte Ausbreitung und deutliche Abgrenzung von der Umgebung. Fast keine Verlagerung. Versorgung durch Warmluft aus Süd-Südwest.

**Richtung/Geschwindigkeit:** Schwach, Süd-Südwest ➛ Nord-Nordost.

**Entwicklung:** Sehr heftiges Gewitter, möglicherweise mit seitlichen oder rückwärtigen Ausdehnungen.

**Gefahr:** Keine. Verfolgen Sie den Himmel in entgegengesetzter Richtung.

**Situation nach dem Foto:** Heftiges Gewitter. Stellenweise 40 cm Hagel, sintflutartige Regenfälle. Ununterbrochene Aktivität mit vielen Blitzschlägen.

*Siehe Seite 43*

*Siehe Seiten 39, 94, 139, 140* 2

# Cumulus congestus und Cumulonimbus capillatus

**Datum:** 21. Juli 1987. 150 m. Später Nachmittag.

**Wetterlage:** Tiefdruckgebiet im Norden, Kaltluftmasse. Nordwestwind. Temperatur 18 °C.

**Vorhersage:** Kühl mit Schauern bis zum Abend.

**Entfernung:** 25 bis 30 km Richtung Nord-Nordwest.

**Bildanalyse:** Diese Gewitterlinie wird durch die etwas wärmere Luft über den großflächigen Getreidefeldern aufrechterhalten und weist die Charakteristika von durch polare Luftmassen hervorgerufenen Gewittern auf: irisierende Gipfel in geringer Höhe, tiefe und scharf abgegrenzte Wolkenbasen, deutliche Kontraste zwischen den Wolkengipfeln und dem Himmel, klare Sicht.

**Richtung/Geschwindigkeit:** Sehr schnell, Nordwest ➛ Südost.

**Entwicklung:** Schneller Durchzug von Gewitterregen, voraussichtlich mit Hagel und Böen.

**Gefahr:** Risiko positiv geladener Blitzschläge. Kurze Gewitter, die jedoch bis zum Sonnenuntergang stark sein können.

**Situation nach dem Foto:** Durchzug von zwei leichten Hagelgewittern. Mäßige elektrische Aktivität.

# Sehr aktive Cumulonimbus capillatus incus

82 

**Datum:** 30. Juli 1987. 269 m. Später Abend.

**Wetterlage:** Hochdruckgebiet (1 020 hPa). Eine Kaltfront im Norden zieht Richtung Südosten. Schwacher Wind. Temperatur 31 °C.

**Vorhersage:** Risiko heftiger Gewitter.

**Entfernung:** Ungefähr 50 km Richtung Nordosten.

**Bildanalyse:** Durch eine Dunstzone verschleierte, sehr mächtige Cumulonimbus. Vorangegangen war eine Winddrehung nach Nordwesten und eine Advektion sehr feuchter Luft in den tiefen Schichten (Stratus). Die gelblichrosa Färbung ist durch die Entfernung zu erklären. Die mehrfachen, beutelförmigen Ausbuchtungen des Gipfels sind ein Zeichen für heftigen Wind. Cumulonimbus mit dichtem und hohem Gipfel. Diese Form tritt häufig in Gewittern bei barometrischem Sumpf auf.

**Richtung/Geschwindigkeit:** Keine. Unbewegliches Gewitter.

**Entwicklung:** Lang andauerndes, heftiges Gewitter.

**Gefahr:** Möglicherweise heftige, nächtliche Gewitter mit Blitzen, Wind, Niederschlägen und Hagel.

**Situation nach dem Foto:** Dauerhaftes Gewitter mit anhaltender elektrischer Entladung. Kein Gewitter über Standort, aber Wolkenblitze und diffuse Helligkeit.

*Siehe Seiten 78, 79*

*Siehe Seiten 72, 126* 2

# Hinterer Teil einer Cumulonimbus capillatus

**Datum:** 14. Juli 1994. 1 300 m. Abend.

**Wetterlage:** Abschwächung eines Hochdruckgebietes. Entwicklung von Konvektionsgewittern. Schwacher Südwestwind. Temperatur 28 °C.

**Vorhersage:** Schwüles Wetter mit gewittrigen Platzregen, insbesondere über den Bergen. Risiko heftiger Gewitter im Gebirge.

**Entfernung:** Ungefähr 12 km Richtung Osten.

**Bildanalyse:** Rückseite eines sich verlagernden Gewitters. Dichte, aber nicht besonders hohe Wolkengipfel. Diese Form, die sehr kalte Luft in der Höhe vermuten läßt, wird häufig von starken, zum Teil zerstörerischen Hagelschlägen begleitet.

**Richtung/Geschwindigkeit:** Mäßig, Südwest ➤ Nordost.

**Entwicklung:** Solch intensive Konvektionsgewitter werden durch die hohen Temperaturen am Nachmittag hervorgerufen. Die Abkühlung der Luftmasse durch vorangegangene Gewitter und den Einbruch der Nacht verringern das Risiko von Gewitterentwicklungen im Westen.

**Gefahr:** Gewitter zieht ab, sehr geringes Risiko. Die Cumulus fractus (dunkelgraue Wolken) scheinen nicht zu quellen.

**Situation nach dem Foto:** Ende der Gewitter außer über dem Gebirge im Osten.

# Cumulonimbus capillatus incus

**Datum:** 20. Juli 1992. 1 200 m. Abend.

**Wetterlage:** Abfallender Luftdruck verbunden mit hohen Temperaturen am Boden. Süd-Südwestwind. Temperatur 25-34 °C.

**Vorhersage:** Schwüles und gewittriges Wetter. Im Gebirge vereinzelte Gewitter am Nachmittag, die sich nachts über die gesamte Region ausbreiten.

**Entfernung:** 20 km Richtung Westen. Höhe der Wolkengipfel 12 000 m.

**Bildanalyse:** Konvektiver Cumulonimbus in einer tropischen Luftmasse. Hohe Gipfel. Starke Beständigkeit des Ambosses (A2-B2) und des Niederschlagsschleiers (D4-D5). Heftiges Gewitter. Die Cumulus congestus (B2-B3 und C1) können in der nächsten halben Stunde neue Gewitter erzeugen.

**Richtung / Geschwindigkeit:** Keine, unbewegliches Gewitter.

**Entwicklung:** Eventuell Gewitter über dem südlichen Bereich durch fortschreitende Ausdehnung der nächtlichen Gewitter beim Vorrücken einer Kaltfront.

**Gefahr:** Geringes Risiko. Eine Ausdehnung zum Standort ist jedoch nicht auszuschließen. Verfolgen Sie die Entwicklung sowie die nächtlichen Blitze im Westen.

**Situation nach dem Foto:** Intensives Gewitter am Ort, begleitet von starken Niederschlägen mit Hagel. Eine Stunde später Auflösung der Cumulonimbus. In der Nacht heftige Frontgewitter über dem Westen.

*Siehe Seiten 36, 119* **2**

# Cumulonimbus mit Hagelbildung

**Datum:** 18. Juli 1987. 187 m. Nachmittag.

**Wetterlage:** Am Vortag Tiefdruckgebiet mit 995 hPa, Durchzug einer Böenlinie mit Böen von 100 km/h. Am Tag der Aufnahme Rückseitenwetter. Luftdruck 1 007 hPa. West-Südwestwind. Temperatur 20 °C.

**Vorhersage:** Schauer, möglicherweise mit Hagel. Eventuell Donner.

**Entfernung:** Ungefähr 15 km Richtung Ost-Nordost.

**Bildanalyse:** Tagsüber entwickelt sich ein durch die Erwärmung des Bodens der Weizenfelder hervorgerufenes Gewitter. Aktives Rückseitenwetter. Der ausgeprägte Kontrast zwischen den Gipfeln und dem kräftigen Himmelsblau läßt auf das Eindringen einer Kaltfront schließen. Auf der Rückseite gehen die vertikalen Streifen (AB1-AB2) mit relativ schweren Hagelschlägen einher.

**Richtung/Geschwindigkeit:** Schnell, West, Südwest ➛ Ost-Nordost, dann Ost ➛ West.

**Entwicklung:** Abfolge von Gewitterschauern bis zum Abend.

**Gefahr:** Risiko aufeinanderfolgender Gewitter. Mäßige bis häufige Blitze. Auf der Rückseite des Ambosses jedoch Gefahr von positiv geladenen Blitzschlägen.

**Situation nach dem Foto:** Das Gewitter dauert bis 21 Uhr an, danach heitert sich der Himmel zunehmend auf. Kühle und sternklare Nacht.

# Linienhafte Cumulonimbus capillatus

86 

**Datum:** 18. Juni 1994. 1 190 m. Abend.

**Wetterlage:** Sich abschwächendes Hochdruckgebiet. Labile und feuchte Luft im mittleren Stockwerk. Am Abend des Vortages heftige Gewitter im Südwesten. Süd-Südwestwind. Temperatur 23-26 °C.

**Vorhersage:** Am Abend und nächsten Tag Gewitter, insbesondere über den höhergelegenen Gebieten.

**Entfernung:** Ungefähr 30 km. Das Zentrum liegt mehr als 50 km Richtung N-NO.

**Bildanalyse:** Ein ausgedehntes Gewitter verlagert sich nach Norden. Das faserige und lang gestreckte Aussehen des Ambosses sowie die peripheren Cumuluswolken auf der Rückseite kündigen an, daß sich das Gewitter auflöst. Die aktivste Zone befindet sich im Norden. Die Luftmasse bleibt warm und feucht.

**Richtung / Geschwindigkeit:** Ziemlich langsam, Süd-Südost ➤ Nord-Nordost.

**Entwicklung:** Eine Stunde später endgültige Auflösung.

**Gefahr:** Keine, die Verlagerung erfolgt nicht zum Betrachter hin. Wenn die Luftmasse unverändert bleibt, stehen möglicherweise nächtliche Gewitter bevor.

**Situation nach dem Foto:** Wiederaufnahme der Gewitter in der frühen Nacht 28 km entfernt in der gleichen Richtung. Dann während eines Großteils der Nacht über dem Standort. Heftige Gewitter in der Region und der Umgebung.

*Siehe Seiten 98, 99*

*Siehe Seite 66* 2

# Cumulonimbus unter Altostratus

**Datum:** 23. Mai 1994. 840 m. Früher Nachmittag.

**Wetterlage:** Gestörte Südwestströmung mit Aufsteigen warmer und labiler Luft aus dem Südwesten auf der Vorderseite einer Wellenfront. Südwind. 15-22 °C.

**Vorhersage:** Bedeckter Himmel, vereinzelte Gewitter. Besserung am Abend.

**Entfernung:** Ungefähr 20 km Richtung West-Südwest.

**Bildanalyse:** Cumulonimbus mit niedrigem Gipfel. Seine Entwicklung wird durch den gräulichen Wolkenschleier einer Altostratus (Dreieck oben links) eingeschränkt. Gewitter mittlerer Beständigkeit. Der Altostratus begrenzt auch die Sonneneinstrahlung. Für die Entstehung bedeutenderer Gewitter sind die Temperaturen zu niedrig.

**Richtung/Geschwindigkeit:** Langsam Südwest ➛ Nordost.

**Entwicklung:** In der folgenden Stunde geringes Gewitterrisiko über dem Standort. Bis zum Abend bleibt ein Gewitterrisiko bestehen. Schwaches Gewitter.

**Gefahr:** Ein wenig elektrisches Gewitter könnte über dem Standort niedergehen. Seien Sie vorsichtig, wenn solche Situationen in der Höhe zur vorherrschenden Strömung hin auftreten (bevorzugte Zonen von Blitzschlägen).

**Situation nach dem Foto:** Gewitter im Moment der Aufnahme. Periodisch auftretender Donner, feine Blitze. Später Gewitter in der Umgebung.

*Siehe Seite 118*

*Siehe Seiten 30, 31, 114* 2

# Graupelschauer auslösende Cumulonimbus

**Datum:** 4. April 1989. 160 m. Früher Nachmittag.

**Wetterlage:** Tiefdruckgebiet (990 hPa) über dem Südwesten mit Aufsteigen warmer Luft. Sehr kalte Luft im Norden. Süd-Südostwind. Temperatur 14 °C.

**Vorhersage:** Schauer, eventuell von Hagel und Schnee begleitet.

**Entfernung:** Ungefähr 15 km Richtung Westen.

**Bildanalyse:** Cumulonimbus mit tiefem Gipfel. Graupelschauer. Labile Wolke mit geringer Dichte. Am Nachmittag folgen Schnee- und Graupelschauer aufeinander. Diese wenig beeindruckenden Cumulonimben haben sehr kalte Gipfel, die seltene, aber schlagkräftige positive Blitze erzeugen können. Im April weisen die Blitzschläge oft einen zerstörerischen Charakter auf.

**Richtung / Geschwindigkeit:** Schnell, Südost ➛ Nordwest.

**Entwicklung:** Schauer und Graupelschauer werden durch vorübergehende Aufheiterungen unterbrochen. Der Durchzug von Böenlinien ist möglich. Diese Wetterkonstellation schwächt sich in der frühen Nacht ab.

**Gefahr:** Nur selten Blitze, positiv geladene Blitzschläge können auftreten.

**Situation nach dem Foto:** Zahlreiche Schauer und Verstärkung des Gewitters im Südwesten. Am Abend heftige Gewitter mit Graupeln und Schnee und intensiver elektrischer Aktivität bis in die frühe Nacht im Südwesten.

# Cumulonimbus mit arcus ohne Amboß

89

**Datum:** 10. April 1993. 1 100 m. Nachmittag.

**Wetterlage:** Durchzug einer Kaltfront mit Gewitterentwicklungen auf der Vorderseite. Südwestwind. Temperatur 10-16 °C.

**Vorhersage:** Gewittrige Schauer mit Hagel und Schnee in den Bergen.

**Entfernung:** Ungefähr 20 km Richtung West.

**Bildanalyse:** Nach Ost-Nordost vorrückende Gewitterfront. Die sehr bedrohlich wirkende arcus (A) sollte von einem Amboß überragt sein, der hier aber nicht in Erscheinung tritt. Nur die wenig entwickelten Cumulushäupter überragen die dunkle Zone. Trotz der geringen Dichte erzeugen diese Wolken weit auseinanderliegende, aber intensive Blitze. Diese Situation ist sehr selten; wenn die Gewitter nahe dem Boden in einer kalten Nord- oder Nordostströmung entstehen, kommt sie etwas häufiger vor.

**Richtung/Geschwindigkeit:** Ziemlich schnell, Südwest ➛ Nordost.

**Entwicklung:** Ein Gewitter steht kurz bevor. Abkühlung auf der Rückseite nach Durchzug der Front.

**Gefahr:** Gefahr von Blitzschlägen innerhalb der nächsten halben Stunde.

**Situation nach dem Foto:** Mäßig starkes Gewitter. Seltene, aber sehr intensive Blitzschläge. Schnee- und Graupelschauer.

*Siehe Seiten 49, 112*

# Basis einer Cumulonimbus während eines trockenen Gewitters

90

**Datum:** 1. Juli 1994. 450 m. Nachmittag.

**Wetterlage:** Schön und heiß. Verlagerung eines Hochdruckgebietes nach Osten. Aufsteigen von labiler Warmluft aus Südwest. Schwacher Wind aus wechselnden Richtungen. Temperatur 29-35 °C.

**Vorhersage:** Am Abend Gewitterneigung über den Geländeerhebungen.

**Entfernung:** Ungefähr 1 500 m vom Zenit.

**Bildanalyse:** Typisches Himmelsbild, wenn die Luft in den tiefen Schichten noch trocken ist und Wolkenbasen wenig strukturiert sind. Extrem gefährliche Wolkenform. Diese Wolken liegen unmittelbar hinter einem besser strukturierten Gewitter, dort wo die peripheren Cumuluswolken und die bereits existierende Wolkenmasse zusammenwachsen (siehe Streifen A auf Seite 69).

**Richtung/Geschwindigkeit:** Entwicklung am Ort, langsame Verlagerung, Süd-Südwest ➛ Nord-Nordost.

**Entwicklung:** Das Gewitter verlagert sich in die nördliche Umgebung.

**Gefahr:** Während der Aufnahme Donner zwischen den Wolken, unterbrochen von seltenen Blitzschlägen. Extreme Gefahr. Trockenes Gewitter im Zenit.

**Situation nach dem Foto:** Trockene Gewitter. Bildung einer Konvergenzlinie im Norden. In der Nacht heftige Gewitter, dann Gewitter im Norden.

*Siehe Seiten 68, 69*

*Siehe Seiten 44, 63, 91* 2

# Wenig beständige Basis einer Cumulonimbus. Pannus

**Datum:** 2. Juli 1994. 1 100 m. Abend.

**Wetterlage:** Aufsteigen von sehr trockener und warmer Luft aus südwestlicher Richtung. Gleichmäßiger Druck. Windstille. Temperatur 34 °C.

**Vorhersage:** Sonnig und sehr heiß. Am Abend leichte Gewittertendenz über den Geländeerhebungen.

**Entfernung:** Ungefähr 700 bis 800 m vom Zenit Richtung Westen.

**Bildanalyse:** Wenn sich eine Cumulonimbus in einer warmen und trockenen Luftmasse entwickelt, weist die Untergrenze nicht die horizontale und sehr dichte Form der Seite 93 auf, sie bleibt zerklüftet und wenig bedrohlich. Im Streifen AB erkennt man eine Stratus fractus oder pannus sowie kaum sichtbare Schauer in der gleichen Zone (Ende der graublauen Abstufung).

**Richtung/Geschwindigkeit:** Fast keine, West ➛ Ost.

**Entwicklung:** Donner und einige Blitzschläge. Gewitter sind bis zum späten Abend möglich. Risiko trockener, sehr elektrischer Gewitter.

**Gefahr:** Im Augenblick der Aufnahme alle paar Minuten Donner. Starkes Risiko von Blitzschlägen über dem Beobachtungsstandort.

**Situation nach dem Foto:** Fortdauern der Wolkenblitze, einige wenige, stark gezackte Blitzschläge. Lokale Schauer. Klare Nacht.

*Siehe Seiten 44, 63*

*Siehe Seiten 68, 69, 90* 2

# Basis einer Cumulonimbus calvus mit virga. Cumulus congestus

92

**Datum:** 3. August 1992. Ungefähr 650 m. Nachmittag.

**Wetterlage:** Abschwächung eines Hochdruckgebietes. Im Westen gestörte Strömung. Am Boden Südwind, dann Südwestwind. Temperatur 25-29 °C.

**Vorhersage:** Lokal starke Gewitterentwicklungen.

**Entfernung:** Virga ungefähr 2 500 m Richtung Nord-Nordwest.

**Bildanalyse:** Im Abschnitt AB bildet sich die Basis einer Cumulonimbus und Niederschläge fallen in der Form von virga (B2). In diesem Moment setzt Donnergrollen ein. Abgesehen von diesem Kennzeichen, kann man den Wolkentyp im Zenit durch die Beobachtung der Cumulus congestus (C1-C2) identifizieren, die sich in der Ferne entwickelt (entgegengesetzte Situation zur Seite 110 für einen identischen Beobachtungstyp).

**Richtung / Geschwindigkeit:** Sehr langsam, Südwest ➛ Nordost.

**Entwicklung:** Gewitter bis zum Abend sicher. Der Zenit befindet sich im letzten Stadium vor dem Auftreten der ersten Blitzschläge.

**Gefahr:** Voraussichtlich Blitzschläge in den nächsten Minuten, insbesondere um die virga herum. Die Wahrscheinlichkeit von Blitzschlägen nimmt zu, wenn die Niederschläge ausgiebiger werden..

**Situation nach dem Foto:** Mäßiges Gewitter, gefolgt von intensiven Schauern.

*Siehe Seite 67*

*Siehe Seite 73* 2

# Basis einer Cumulonimbus calvus

**Datum:** 24. Juli 1994. 1 400 m. Nachmittag.

**Wetterlage:** Barometrischer Sumpf mit leichter Tiefdrucktendenz. Schön und heiß. Konvektionsgewitter am Vortag. Schwacher Südwestwind. Temperatur 26-32 °C.

**Vorhersage:** Warmes und sonniges Wetter.

**Entfernung:** Ungefähr 7 km Richtung Süd-Südwest.

**Bildanalyse:** Basen von gewittrigen Konvektionswolken. Bei A1-A2 verursacht eine sehr feuchte Luftzunge ein Absinken der Untergrenze der Cumulonimbus calvus auf einige hundert Meter oberhalb des Bodens (Wolkenwand).

**Richtung/Geschwindigkeit:** Sehr langsam, Süd-Südost ➛ Nord-Nordwest.

**Entwicklung:** Letzte Stufe vor dem Einsetzten eines Gewitterschauers in den folgenden Minuten. Bei intensiven Gewittern kündigt dieses Phänomen heftige Winde, die Möglichkeit eines Tornados, Hagel sowie schlagkräftige Blitzentladungen im Randbereich an.

**Gefahr:** Risiko von Blitzschlägen sowie der Ausbreitung des Gewitters zum Betrachter hin.

**Situation nach dem Foto:** Einige Donnerschläge in den Abendstunden. 13 km südöstlich bricht am Abend ein schweres Gewitter los.

*Siehe Seite 41*        *Siehe Seite 25* 2

# Bildung eines Gewitters

**Datum:** 20. Juni 1993. 1 150 m. Früher Nachmittag.

**Wetterlage:** Barometrischer Sumpf mit Tiefdrucktendenz. Aufsteigen von warmer und labiler Luft. Schwacher Süd-Südostwind. Temperatur 25-31 °C.

**Vorhersage:** Am Vormittag sehr warm und sonnig. Am Nachmittag entwickeln sich Cumuli, die am Abend einige Donnerschläge über den Hügeln auslösen.

**Entfernung:** 700 m vom Zenit bis ca. 13 km (dunkle Wolken) Richtung Westen.

**Bildanalyse:** Typischer Gewitterhimmel. Rechts weist der Wolkenschleier auf Schauer hin. Die Lichtverhältnisse in der Ferne (Linie C) kennzeichnen einen weniger stark geladenen Himmel. Das zerklüftete Aussehen der Wolkenbasen im Abschnitt AB ist für die gewittrigen Cumulusbasen charakteristisch.

**Richtung / Geschwindigkeit:** Sehr langsam, Südwest ➛ Nordost.

**Entwicklung:** Voraussichtlich bricht in den nächsten Minuten ein Gewitter los.

**Gefahr:** Demnächst Blitzschläge. Die Vielzahl der dunklen und dichten Basen ist ein Hinweis auf ein dauerhaftes Gewitter.

**Situation nach dem Foto:** Wenig später für ca. 15 min. Donnergrollen, gefolgt von Blitzschlägen (C1-C2). Eine Stunde später beginnt bei C2 ein Gewitter und zieht auf den Standort zu. Während einer halben Stunde entladen sich Blitze, dann treten starke Schauer auf. Bis zum Abend Gewitter mäßiger Intensität.

*Siehe Seite 39*          *Siehe Seiten 43, 80, 139, 140* 2

# Bildung eines Gewitters unter einer Cumulonimbus calvus

**Datum:** 12. September 1994. 1 080 m. Mittag.

**Wetterlage:** Tiefdruckströmung aus Süd-Südwest, mit einem regnerisch-gewittrigen System. Beständiger Südwestwind. Temperatur 17-23 °C.

**Vorhersage:** Aufheiterungen gefolgt von teilweise gewittrigen Platzregen am Nachmittag. Während der Nacht Gewitterregen.

**Entfernung:** Ungefähr 5 km Richtung Nordwesten, 150 m über dem Boden.

**Bildanalyse:** Gewisse Gewitter mit zerstörerischen Hagelschlägen bilden sich, wenn die Atmosphäre so schwül und windstill ist, dass sich die Wolkenschleier senken und in der Höhe schwache, aber häufige, gedämpfte Donner grollen, wobei es jedoch nicht regnet.

**Richtung / Geschwindigkeit:** Ziemlich schnell, West-Südwest ➛ Ost-Nordost.

**Entwicklung:** Bei sehr warmem und windstillem Wetter besteht die Gefahr sehr heftiger Gewitter mit Hagelschlägen, Böen und mehrfachen Blitzen. Wenn das Wetter kühl und windig ist, schwaches Gewitter mit Risiko von sporadischen, aber intensiven Blitzschlägen und starken Böen.

**Gefahr:** Demnächst Risiko von Blitzschlägen.

**Situation nach dem Foto:** Sehr heftiger Wind, aber nur mäßig elektrische Aktivität. In der frühen Nacht sehr schwere Gewitter über dem Osten.

# Basis einer Cumulonimbus calvus

**Datum:** 9. Juli 1993. 1 080 m. Nachmittag.

**Wetterlage:** Tiefdruckgebiet über dem Südwesten und Eindringen einer Kaltfront. Den ganzen Tag über bilden sich Gewitterwolken. Südwestwind. 27-30 °C.

**Vorhersage:** Schwül und im Laufe der Nacht zunehmend gewittrig.

**Entfernung:** 1 000 m oberhalb des Bodens. 4 km vom Zenit Richtung Südwest.

**Bildanalyse:** Aus einer vorgewittrigen Altocumulusbank hervorgegangene Cumulonimbus calvus. Die sichelförmige Struktur der Wolkenbasis, bleigrau und dunkel, sowie die bedrohlichen Wellen (A1-A2) sind Vorboten einer Gefahr. Außerdem kündigen die Stratus fractus (B1) und der hellgraue Schleier auf der Rückseite der Wellen Regenschauer sowie die Weiterentwicklung der Cumulus in Cumulonimbus calvus an. Von solchen Formationen gehen Wirbelstürme aus.

**Richtung / Geschwindigkeit:** Mäßig, Süd-Südwest ➛ Nord-Nordost.

**Entwicklung:** Unmittelbar bevorstehendes Gewitter.

**Gefahr:** Wahrscheinlich Blitzschläge in den kommenden Minuten. Möglichkeit heftiger Winde, sogar eines Wirbelsturms.

**Situation nach dem Foto:** Donnerschläge eine Viertelstunde nach der Aufnahme des Fotos. Die Luftfeuchte erlaubt keine Entstehung einer gut strukturierten Cumulonimbus. Heftige Gewitter bis zum nächsten Vormittag.

*Siehe Seite 137*

# Basis einer Cumulonimbus calvus mit tuba

**Datum:** 31. Mai 1992. 1 080 m. Mittag.

**Wetterlage:** Aufstieg von aus Südwesten stammender, warmer und labiler Luft. Südwestströmung. Südwind am Boden. Temperatur 18-22 °C.

**Vorhersage:** Schwül und bedeckt. Regen. Örtlich heftige Gewitter mit Hagel.

**Entfernung:** Tuba mindestens 1 000 m vom Zenit.

**Bildanalyse:** Entstehung einer Cumulonimbus calvus in einem Korridor entgegengesetzter Winde. Die geradlinige Säule (A1-B1), die sich unterhalb der Wolkenbasis ausdehnt, ist ein mehr oder weniger intensiver Wirbelwind (tuba). Vor der Erscheinungsform der tuba sollte man sich in acht nehmen.

**Richtung / Geschwindigkeit:** Sehr schwach, Südwest → Nordost. Wirbelwinde aus der gesamten Basis bis zum Ende der Erscheinung.

**Entwicklung:** Mögliche Bildung einer heftigen Gewitterzelle mit einem Wirbelsturm, wenn sich die Wolkenuntergrenze weiterhin wirbelartig ausdehnt.

**Gefahr:** Gedämpfte Donnerschläge weisen auf ein Risiko von Blitzschlägen hin. Hagel und heftige Winde. Vermeiden Sie diesen gefährlichen Erscheinungstyp.

**Situation nach dem Foto:** Nach einer Viertelstunde Verschwinden der tuba, aber wirbelförmige Rotation der Wolkenbasis. Wenig später trockenes Gewitter, dann Hagelschläge. Gewitter während des ganzen Nachmittags.

# Wolkendecke aus vorgewittrigen Altocumulus undulatus und Cumulus fractus

**Datum:** 18. Juni 1994. 1 080 m. Mittag.

**Wetterlage:** Sich abschwächendes Hochdruckgebiet. Labile und feuchte Luft im mittleren Stockwerk. Süd-Südwestwind. Temperatur 23-26 °C.

**Vorhersage:** Am Abend und nächsten Tag Gewitter.

**Entfernung:** 1 500 m vom Zenit Richtung Norden, die Linie A 5 bis 6 km.

**Bildanalyse:** Kriterien für den vorgewittrigen Charakter dieser Altocumulusschichte sind das schwere und kontrastierte Aussehen der Wolkenbasen, bleierne Farbtöne, wellige und lückenhafte Wolkenformen, schwüles Wetter und schwacher Wind, Ausrichtung der Cumulus fractus, dunkle Türmchen (A), die der Form castellanus ohne Basis ähneln, ein Anzeichen von gewittriger Labilität.

**Richtung / Geschwindigkeit:** Sehr langsam, Südwest ➛ Nordost und die Wolken im unteren Stockwerk Süd ➛ Nord.

**Entwicklung:** Ein Gewitter kann durch die Entwicklung der Wolkenschicht entstehen, oder später nach ihrem Durchzug. Risiko nächtlicher Gewitter.

**Gefahr:** In den beiden folgenden Stunden ist ein Gewitter sehr wahrscheinlich.

**Situation nach dem Foto:** Gewitter nach zwei Stunden in 20 km Richtung N-NO. Am Nachmittag Donner. In 45 km, dann 20 km Entfernung Gewitter in der Nacht. Um 4 Uhr heftige Gewitter und erneut am nächsten Tag.

*Siehe Seiten 86, 99*

*Siehe Seite 66* 2

# Altocumulus undulatus und Stratocumulus castellanus



A
B

**Datum:** 18. Juni 1994. 1080 m. Mittag.

**Wetterlage:** Abschwächendes Hochdruckgebiet. Gewittriger Aufstieg von Luft aus Südwest. Am Vorabend Gewitter im Südwesten. Süd-Südwestwind. 23-26 °C.

**Vorhersage:** Am Abend und nächsten Tag Gewitter.

**Entfernung:** 1 500 m vom Zenit. Der Streifen AB ungefähr 4 bis 5 km Richtung West-Südwest.

**Bildanalyse:** Dieser typische Gewitterhimmel weist die gleichen Charakteristika auf wie der von Seite 98. Bedrohliche Altocumulus undulatus bedecken den Himmel. Bei AB verbreiten sich zerrissene und wenig strukturierte Stratocumulus castellanus-Bänke im unteren Stockwerk, ein Kriterium für starke Labilität.

**Richtung/Geschwindigkeit:** Sehr langsam, Südwest ➛ Nordost, die Wolken im unteren Stockwerk Süd ➛ Nord.

**Entwicklung:** Risiko nächtlicher Gewitter.

**Gefahr:** In den beiden folgenden Stunden ist ein Gewitter sehr wahrscheinlich.

**Situation nach dem Foto:** Elektrische Gewitter zwei Stunden nach Aufnahme des Fotos 20 km in Richtung Nord-Nordost. Nachmittags Donner. In 45 km, dann 20 km Entfernung heftige Gewitter. Nachts Blitze und Donner. Um 4 Uhr heftige Gewitter über dem Standort und erneute Gewitter am nächsten Tag.

*Siehe Seiten 86, 98*

*Siehe Seite 66* 2

# Wolkendecke aus Stratocumulus undulatus

100

**Datum:** 4. November 1994. 1 080 m. Nachmittag.

**Wetterlage:** Ein Tiefdruckgebiet (995 hPa) löst einen starken Südwind aus, dann ein ausgedehntes gewittriges und regnerisches System. Südwind. 11-16 °C.

**Vorhersage:** Mild aber bewölkt. Am Nachmittag sonniger.

**Entfernung:** Ungefähr 1 000 m Höhe, vom Zenit zum Horizont.

**Bildanalyse:** Wellenförmige Wolkendecke über dem gesamten Himmel. Diese bedrohlichen Wolken sind nicht zwangsläufig wie hier mit gewittriger Labilität verbunden. Sie treten auf der Vorderseite von Warmfronten auf, ihnen folgt im allgemeinen Nieselregen, dann Regen.

**Richtung / Geschwindigkeit:** Ziemlich schnell, Süd-Südwest ➛ Nord-Nordost.

**Entwicklung:** In diesem eindeutigen Fall zunehmendes Auftreten von immer stärkerem Regen, insbesondere über den der allgemeinen Strömung ausgesetzten Bergen.

**Gefahr:** Sofern sich bei hohen Temperaturen Haufenwolken entwickeln, kann diese wellenförmige Wolkenanordnung das Vorhandensein von Gewitterwolken oberhalb des Betrachters offenbaren.

**Situation nach dem Foto:** Gewitter im Süden, während der Nacht dann heftige Regenfälle und Gewitterregen mit Sturm. Hochwasser.

*Siehe Seiten 32, 148, 149, 150* 2

# Stratocumulus stratiformis

**Datum:** 10. Juni 1994. 190 m. Später Vormittag.

**Wetterlage:** Ausgeprägtes Hochdruckgebiet mit Zentrum über dem Nordwesten. Auf der Vorderseite kühle, feuchte Strömung aus Norden. Schwacher Nordwind. Temperatur 13-15 °C (Nachmittag).

**Vorhersage:** Kühl und bewölkt. Am Nachmittag sonniger.

**Entfernung:** Ausgedehnte Wolkendecke. Höhe ungefähr 1 000 m.

**Bildanalyse:** Diese Stratocumuli (stratiformis opacus) resultieren aus dem Aufsteigen einer dichten Stratuszone (Nebel). Diese Himmelsbedeckung entsteht häufig, wenn sehr feuchte Luft aufgrund des hohen Luftdrucks über dem Boden stagniert.

**Richtung/Geschwindigkeit:** Langsam, Nordwest ➛ Südost.

**Entwicklung:** Im allgemeinen brechen diese Stratocumulusschichten stellenweise auf (Lücken lassen Sonnenstrahlen durchscheinen), sobald sich die Hebung der Wolken vollzieht, treten Aufheiterungen auf. Im Verlauf des Nachmittags formen sich diese Wolken in Cumulus humilis und mediocris um.

**Gefahr:** Keine, das irisierende und aufgelockerte Aussehen der erhellten Wolkenränder weist auf stabile und demzufolge nicht gewittrige Wolken hin.

**Situation nach dem Foto:** Aufheiterungen am Nachmittag. Kühles Wetter.

*Siehe Seite 47*

# Schwach entwickelte Cumulonimbus

102

**Datum:** 7. Mai 1995. 1 150 m. Vormittag.

**Wetterlage:** Abfallender Druck, Vorrücken einer Kaltfront. Gewitter über dem Südwesten. Schwacher Süd-Südostwind. Temperatur 21-26 °C.

**Vorhersage:** Gewitter, insbesondere am Abend über den Hügeln.

**Entfernung:** 8 km Richtung Ost-Nordost.

**Bildanalyse:** Gewitter über den Bergen im Osten. Trotz geringer Niederschläge, die den Boden kaum erreichen (Streifen A1-A2), war eine halbe Stunde lang Donner zu hören und einige feine Blitze schlugen in das Weideland ein (Streifen A2-A3). Meistens stellt dieser Himmelstyp keine Bedrohung dar. Wie auch hier reicht in seltenen Fällen eine geringe Wolkenmasse aus, um Blitze zwischen den Wolken und sogar Blitzschläge zum Boden auszulösen.

**Richtung / Geschwindigkeit:** Langsam, West-Nordwest ➛ Ost-Südost.

**Entwicklung:** Nachmittags Gewitterwahrscheinlichkeit beim Vorrücken einer Kaltfront.

**Gefahr:** Am Ort keine. Von der höheren Wolkenbasis geht ein Risiko von Blitzschlägen auf der Rückseite des Gewitters aus. Beobachten Sie die Umgebung.

**Situation nach dem Foto:** Entfernung des Gewitters, gefolgt von einem letzten, explosiven Blitzschlag. Gewitter am Nachmittag über den Bergen im Osten.

*Siehe Seiten 22, 53*

*Siehe Seiten 18, 19, 21, 24* 2

# Basis einer Cumulonimbus mit Schauern
# Beginn eines Gewitters

**Datum:** 26. Mai 1992. 1 100 m. Später Nachmittag.

**Wetterlage:** Hochdruckverhältnisse (1 015 hPa). Austrocknung der Luftmasse. Den ganzen Tag über Cumulus congestus. Süd-Südwestströmung. 22-28 °C.

**Vorhersage:** Wetterverbesserung. Vormittags bewölkt, später sonnig und warm.

**Entfernung:** Ausgedehnte Wolkendecke. Schauer 8 bis 9 km Richtung S-SO.

**Bildanalyse:** Unvorhergesehene Gewitter über dem Osten der Bergkette. Dichte, horizontal ausgedehnte und bedrohliche Wolkenkette mit beständigen Schauern (A1-A2). Diese Anordnung in langen, schmalen und dunklen Streifen ist in 80 % der Fälle ein recht sicheres Kriterium für ein bevorstehendes Gewitter.

**Richtung/Geschwindigkeit:** Mäßig, Süd-Südwest ➝ Nord-Nordost.

**Entwicklung:** Eine bedeutende Ausdehnung des Gewitters bis über den Beobachtungsstandort ist wahrscheinlich. Ende der Gewitter in der frühen Nacht.

**Gefahr:** Über dem Standort tritt voraussichtlich in den folgenden 20 Minuten ein Gewitter auf. Die dunkelsten Wolkenbasen sind jedoch ein bißchen zu weit vom Betrachter entfernt um eine wirkliche Gefahr darzustellen.

**Situation nach dem Foto:** Zunahme der Wolkenbasen bis über den Beobachtungsstandort. Gewitter in der Umgebung. Vereinzelter Blitzschlag in der Nähe des Standortes. Weiter im Westen Gewitter bis in die erste Nachthälfte.

*Siehe Seite 105*

# Gewitterschauer

**Datum:** 1. Juni 1993. 1 040 m. Abend.

**Wetterlage:** Kaltfront im Westen. Südostwind, dann Südwestwind. 23-27 °C.

**Vorhersage:** Schön und warm. Gewitterrisiko am Abend und in der Nacht.

**Entfernung:** Der Blitz ungefähr 7 km Richtung Südwesten.

**Bildanalyse:** Über einer Schlucht hat sich ein Gewitter gebildet. Trotz des lockeren und gleichmäßigen Auftretens der Schauer (A1 A2 - B1 B2) bleibt die elektrische Aktivität sehr intensiv. Diese Foto wurde am hellichten Tag als Beweis aufgenommen. Der Blitzschlag ereignet sich auf der Vorderseite des Regenschleiers, der sich etwas in Richtung auf den Betrachter verlagert. Das Gewitter dauert bereits eine Stunde.

**Richtung / Geschwindigkeit:** Ziemlich langsam, Südwest ➛ Nordost.

**Entwicklung:** Starkes Gewitterrisiko über dem Standort in der folgenden halben Stunde. Im Anbetracht des Vorrückens einer Kaltfront nächtliche Gewitter.

**Gefahr:** Risiko von Blitzschlägen. Gewitter bis zum Durchzug der Kaltfront.

**Situation nach dem Foto:** Schweres Gewitter über der Umgebung, Abschwächung, dann Wiedereinsetzen über dem Standort. Eine Stunde später, am Ende des Gewitters, treten in der Nähe des Standortes explosive Blitzschläge auf. Vorübergehendes Nachlassen und Rückkehr der Gewitter bis Mitternacht.

# Gewitterschauer

**Datum:** 26. Mai 1992. 1 150 m. Später Abend.

**Wetterlage:** Hochdruckverhältnisse (1 015 hPa). Austrocknung der Luftmasse. Tagsüber Cumulus congestus. Süd-Südwestströmung. 22-28 °C.

**Vorhersage:** Wetterverbesserung. Vormittags bewölkt, dann sonnig und warm.

**Entfernung:** 2 bis 3 km Richtung Ost-Südost.

**Bildanalyse:** Die Aufnahme entstand drei Stunden nach dem Foto von Seite 103. Das Gewitter zieht nach Norden. Die Schauer (A1 A2 - B1 B2) haben den sehr anhaltenden und gleichmäßigen Charakter eines Gewitters im Reifestadium. Anfänglich fand die elektrische Aktivität (A1 A2 - B1 B2) fast auf der Vorderseite des Regenschleiers statt.

**Richtung / Geschwindigkeit:** Mäßig, Südwest ➛ Nordost.

**Entwicklung:** Die Gewitter könnten sich über den Beobachtungsstandort ausdehnen (bedeutende Wolkenkonsistenz an den Seiten der Schauer).

**Gefahr:** Entfernung des Gewitters, die dunklen Wolken oberhalb des Betrachters schließen Blitzschläge oder die Bildung eines seitlichen Gewitters nicht aus.

**Situation nach dem Foto:** Ausbreitung des Gewitters, seltene, aber starke Blitzschläge im Zentrum der Niederschläge. Entfernung in Richtung Nordosten. Vereinzelt auftretende Blitze in der Region bis Mitternacht.

*Siehe Seite 103*

# Cumulonimbus und stürmische See

**Datum:** 21. Januar 1995. 0 m. Später Abend.

**Wetterlage:** In der Nacht vereinzelte Gewitter, starke Regenfälle und Sturm. Aufeinander folgende Böenlinien in gestörter Südwestströmung, orientieren sich am Abend Richtung Nordwesten. Sturm (140 km/h in der Nacht). Südwestwind, dann Westwind. Temperatur 7-10 °C.

**Vorhersage:** Heftiger Wind mit Hagel- und Graupelschauern, manchmal von Gewittern begleitet. Sturmwarnung für die nächsten Tage. Starke Regenfälle.

**Entfernung:** 5 bis 6 km Richtung West-Südwest.

**Bildanalyse:** Letzter Schauer nach einem unruhigen Tag. Schneller Eintritt einer von intensiven Schauern (A1-A2) begleiteten Cumulonimbus.

**Richtung / Geschwindigkeit:** Ziemlich schnell, West-Nordwest ➛ Ost-Südost.

**Entwicklung:** In den folgenden Minuten sind Gewitterschauer möglich. In Anbetracht der Zeit ist eine Wetterberuhigung in der frühen Nacht wahrscheinlich.

**Gefahr:** In diesem sehr flachen Gebiet ist der Beobachter der Gefahr ausgesetzt (Blitzeinschlag kann nicht ausgeschlossen werden).

**Situation nach dem Foto:** Durchzug eines heftigen Schauers mit Verstärkung des Windes. Auf hoher See herrscht starker Wellengang. Es wurde kein Blitz registriert. Mit dem Einbruch der Nacht hören die Schauer auf.

*Siehe Seiten 61, 75, 107*

# Durchzug einer Böenlinie

**Datum:** 21. Januar 1995. 0 m. Vormittag.

**Wetterlage:** In der Nacht Gewitter, Regenfälle und Sturm. Aufeinander folgende Böenlinien in gestörter Südwestströmung orientieren sich abends Richtung Nordwesten. Sturm (140 km/h in der Nacht). Südwest-, dann Westwind. 7-10 °C.

**Vorhersage:** Heftiger Wind mit Hagel- und Graupelschauern, manchmal von Gewittern begleitet. Sturmwarnung für die nächsten Tage. Starke Regenfälle.

**Entfernung:** Ungefähr 10 km Richtung West-Südwest.

**Bildanalyse:** Vollständige Bildung der Böenlinie von Seite 61, die unterschiedlichen Zellen sind zusammengewachsen und bilden nun eine einzige, aktive Schauerlinie. Die dunklere Färbung (Streifen B1-B2) kennzeichnet eine Zone intensiver Niederschläge, der graue Schleier (A2) weist auf einen Hagelschleier hin.

**Richtung/Geschwindigkeit:** Ziemlich schnell, West ➛ Ost.

**Entwicklung:** Durchzug von gewittrigen Schauern in der folgenden Viertelstunde. Bis zum Abend folgen Böen, Schauer und eventuell Gewitter aufeinander.

**Gefahr:** Das Risiko von Blitzschlägen (positiv geladene Blitze) bleibt erhalten. Über dem Meer Gefahr von heftigen Stürmen beim Durchzug der Böenlinien.

**Situation nach dem Foto:** Wenig später starke Hagelschauer über der Bucht, gefolgt von ein oder zwei Donnerschlägen. Tagsüber Durchzug von Böenlinien.

*Siehe Seiten 61, 75, 106*

# Gewitterhimmel bei Sonnenaufgang

**Datum:** 10. August 1994. 1 210 m. Tagesanbruch.

**Wetterlage:** Tiefdruckströmung aus Südwesten. Am Vortag sehr heißes und gewittriges Wetter (27-35 °C). Die ganze Nacht heftige Gewitter. Zunehmender Druck. Südwestwind. Nächtliche Temperatur im Mittel 20 °C.

**Vorhersage:** Sehr bewölkt, möglicherweise Gewitterregen und Hagel.

**Entfernung:** Ausgebreitete Wolkendecke. Die untere Grenze liegt bei 1 000 m.

**Bildanalyse:** Klassischer Gewitterhimmel in der Morgenröte oder Abenddämmerung, wenn die Wolken sehr tief hängen und das Gewitterzentrum sich entgegengesetzt zur Sonne befindet. Die Farbabstufung des Himmels von gelb bis dunkelgrau ist oft ein Kennzeichen von stark elektrisch geladenen Gewittern. Am Tag sind diese Farben oft ein Hinweis auf intensive Hagelschläge.

**Richtung/Geschwindigkeit:** Ziemlich langsam, West-Südwest ➛ Ost-Nordost.

**Entwicklung:** Im allgemeinen lassen diese Gewitter ein bis zwei Stunden nach Sonnenaufgang nach.

**Gefahr:** Heftige Gewitter im Zenit. Gefahr von Blitzschlägen.

**Situation nach dem Foto:** Kurvenreiche, chaotische Blitze breiten sich diagonal aus. 20 Minuten lang Blitzschläge, dann folgen kurze Gewitter aufeinander. Langsame Verlagerung der Gewitterfront nach Osten.

*Siehe Seiten 58, 59*

*Siehe Seite 29* 2

# Stratocumulus castellanus unter einem sich auflösendem Gewitter

**Datum:** 10. April 1985. 225 m. Nachmittag.

**Wetterlage:** Durchzug einer Kaltfront. Auf der Vorderseite Gewitterregen. Westwind am Boden. Temperatur 15 °C.

**Vorhersage:** Am Nachmittag Schauer mit teilweise gewittrigem Charakter.

**Entfernung:** Ungefähr 12 km Richtung Süden.

**Bildanalyse:** Labile Wolken in der Form von castellanus (Streifen AB) bilden sich in Cumulus congestus um. Diese erscheinen aufgrund der Auflösung einer Cumulonimbus capillatus. Diese Wolkenanordnung ist im allgemeinen mit einem Gewitter verbunden.

**Richtung / Geschwindigkeit:** Mäßig, West ➛ Ost.

**Entwicklung:** Umbildung in Cumulonimbus möglich, wenn die obere Wolkendecke den Konvektionsprozeß nicht aufhält.

**Gefahr:** Das Foto wurde von einem Kirchturm aus aufgenommen, einer extrem gefährlichen Situation bei diesem Himmelstyp, da ein Blitzschlag nicht vollkommen ausgeschlossen ist (das Knistern der Blitzableiterspitzen verweist auf ein stark erhöhtes elektrisches Feld auf der Rückseite der alten Cumulonimbus hin).

**Situation nach dem Foto:** Entwicklung einer Cumulonimbus in der betreffenden Zone und eines neuen Gewitters eine halbe Stunde später. Ein Blitzschlag in den nördlichen Turm der Kirche.

# Stratocumulus stratiformis cumulogenitus

**Datum:** 18. Mai 1994. 1 080 m. Später Abend.

**Wetterlage:** Nach dem Durchzug eines Tiefdrucktroges entwickelt sich ein Hochdruckrücken. Nordwestströmung. Nachlassen der Labilität. Nord-Nordwestwind. Temperatur 16-20 °C.

**Vorhersage:** Bewölkt mit schauerartigen Niederschlägen. Am Nachmittag eventuell gewittrige Platzregen. Blitze am Abend.

**Entfernung:** In der Ferne ungefähr 30 bis 40 km Richtung Westen.

**Bildanalyse:** Stratusschichten, deren Ausbreitung durch die fortschreitende Luftdruckzunahme und das Abkühlen der Luftmasse hervorgerufen wurde. Endgültige Verteilung der Cumuli (bei B erscheint eine Stratus fractus).

**Richtung / Geschwindigkeit:** Mäßig, Nordwest ➛ Südost.

**Entwicklung:** Beim Einbruch der Nacht Auflösung der Wolkenschichten.

**Gefahr:** Keine. Auch wenn die dunklen Stratocumuli (Streifen AC) bedrohlich erscheinen, verdeutlichen die fernen Wolken (Linie D), daß die Wolkenausdehnung kaum einige 100 m übersteigt (entgegengesetzte Situation zur Seite 92 für einen identischen Beobachtungstyp).

**Situation nach dem Foto:** Auflösung der Wolkenschichten in der frühen Nacht.

# Durchzug einer leicht gewittrigen Bö

**Datum:** 16. Juni 1987. 150 m. Abend.

**Wetterlage:** Ausgeprägtes Rückseitenwetter. Sehr kühl mit plötzlicher Zunahme des Druckfeldes von Westen (1 014-1 023 hPa). Nordwestwind. 16-18 °C.

**Vorhersage:** Schauerrisiko am Nachmittag.

**Entfernung:** 10 km vom Zenit Richtung Süden. Höhe ungefähr 1 000 m.

**Bildanalyse:** Diese Wolkendecke erzeugt trotz ihres beunruhigenden Aussehens keine heftigen Gewitterphänomene. Es handelt sich hier um eine Cumulus congestus-Reihe, die einer Bö um einige Kilometer vorausgeht. Bei ihrem Durchzug entstehen nur beachtliche Winde.

**Richtung/Geschwindigkeit:** Sehr schnell, Nordwest ➛ Südost.

**Entwicklung:** Im allgemeinen kündigt diese Wolkenanordnung sehr heftige Gewitterböen, starke Gewitterelektrizität und ausgiebige Niederschläge an, aber die meteorologischen Bedingungen eignen sich hier nicht dafür (kühle Temperaturen, Nordwestwind, Temperaturanstieg). Auf der Rückseite kühles, milderes Wetter und Risiko eines abgelegenen Gewitters.

**Gefahr:** Möglicherweise Blitzschläge und heftiger Wind. Im allgemeinen dauert der Durchzug dieser Böen nicht länger als eine halbe Stunde.

**Situation nach dem Foto:** Beim Durchzug der Bö anhaltender Regen mit einigen Blitzen und heftigem Wind.

# Cumulonimbus mit arcus

**Datum:** 10. April 1993. 1 100 m. Nachmittag.

**Wetterlage:** Durchzug einer Kaltfront mit Gewitterentwicklungen auf der Vorderseite. Südwestwind. Temperatur 10-16 °C.

**Vorhersage:** Gewitterschauer mit Hagel und Schnee in den Bergen.

**Entfernung:** 10 km. Gewitter 15 km Richtung Nordwest.

**Bildanalyse:** Trotz der bedrohlichen arcus (mächtiger Wolkenschleier) waren die Gewitter von mäßiger Intensität, ausgenommen die heftigen Blitzschläge, die sehr große Schäden hervorriefen.

**Richtung/Geschwindigkeit:** Ziemlich schnell, Südwest ➤ Nordost.

**Entwicklung:** Gewitter durchqueren die Region ziemlich schnell, Abkühlung auf der Rückseite nach dem Durchzug der Front.

**Gefahr:** Blitzschlagsrisiko über einen Zeitraum von 10 bis 15 Minuten, manchmal auch kürzer. Die Gewitterphänomene können sehr heftig sein.

**Situation nach dem Foto:** Nach einer halben Stunde mäßig intensive Gewitter. Seltene, aber starke Blitzschläge, die im Norden der Region etwas zahlreicher auftreten. Nach einer Stunde Winddrehung nach West-Nordwest. Hagelschauer und Schnee.

*Siehe Seiten 49, 89*

# Gewittrige Kaltfront mit arcus

**Datum:** 22. Juni. 1 040 m. Abend.

**Wetterlage:** Nach einer Periode von Konvektionsgewittern Durchzug einer Kaltfront. Südostwind am Boden und West-Südwestwind in der Höhe. 18-23 °C.

**Vorhersage:** Zum Teil starke Gewitterregen mit Hagel und Böen.

**Entfernung:** 13 km Richtung West-Südwest.

**Bildanalyse:** Cumulonimbusreihe auf der Vorderseite einer aktiven Kaltfront. Die dunklen Wolkenbasen nahe dem Boden weisen auf hohe Luftfeuchtigkeit in den tiefen Schichten hin. Der dichte Wolkenschleier (arcus), der den Niederschlägen vorangeht, kündigt gefährliche Gewitterphänomene an. Die oft durch Regen verdeckten Blitze erscheinen in Form von grellrosa Lichterscheinungen.

**Richtung/Geschwindigkeit:** Sehr schnell, West-Südwest ➝ Ost-Nordost.

**Entwicklung:** Das Gewitter dauert im allgemeinen nicht länger als 30 Minuten. Nach dem Durchzug einer Gewitterfront schwächt das Eindringen von kälterer Luft das Gewitterrisiko ab (beachten Sie den Luftdruck und die Winddrehung).

**Gefahr:** Möglicherweise sehr heftige Gewitter, die von starken Niederschlägen und kräftigen Böen begleitet werden.

**Situation nach dem Foto:** Starkes Gewitter mit intensiven Regenfällen und Böen. Seltene, aber heftige Blitzentladungen..

*Siehe Seiten 139, 140* 

# Durchzug einer Gewitterbö mit arcus

114

**Datum:** 22. Mai 1994. 747 m. Später Nachmittag.

**Wetterlage:** Fortbestehen einer labilen Südweströmung auf der Vorderseite einer wellenartig voranschreitenden Kaltfront. Süd-Südwestwind. 17-24 °C.

**Vorhersage:** Bewölkt und schwül mit lokal gewittrigen Platzregen.

**Entfernung:** Ungefähr 8 bis 10 km Richtung Westen.

**Bildanalyse:** Charakteristischer Himmel für heftige Gewitterböen. Die arcus (Abschnitt AB) unterstreichen die Veränderung der Luftmasse und kündigen den Beginn eines unmittelbar bevorstehenden, aktiven Gewitters an. Diese Form ist im allgemeinen mit gewittrigen oder sekundären Kaltfronten verbunden.

**Richtung / Geschwindigkeit:** Sehr schnell, West ➛ Ost.

**Entwicklung:** Ein Gewitter mit elektrischen Erscheinungen, intensiven Niederschlägen und sehr heftigen Winden steht bevor. Schneller Durchzug, gefolgt vom Eindringen kühlerer Luft.

**Gefahr:** Unmittelbare Gefahr von verstreuten, aber sehr heftigen Blitzentladungen, starken Niederschlägen, Hagel und böigem Wind.

**Situation nach dem Foto:** Starke Schauer und Böen sowie intensive Gewitterelektrizität. Ausgedehnte Gewitter, heftige Windböen (zahlreiche Sturmschäden, Blitzschäden). Vereinzelte nächtliche Gewitter in der Kaltluft.

*Siehe Seiten 30, 31*

*Siehe Seiten 87, 118* 2

# Cumulonimbusbasis auf der Vorderseite einer Gewitterbö. Arcus

**Datum:** 23. Mai 1986. 170 m. Nachmittag.

**Wetterlage:** Durchzug einer gewittrigen Kaltfront. Südwestwind. Temperatur 25 °C.

**Vorhersage:** Gewitterneigung am Abend.

**Entfernung:** Ungefähr 100 bis 200 m vom Boden, vom Zenit Richtung Westen.

**Bildanalyse:** Sehr mächtige und dichte Wolkenbasis verbunden mit einer Zone starker Turbulenzen auf der Vorderseite einer Böenlinie. Intensive Gewittererscheinungen. Rechts erscheint ein Niederschlagsschleier. Diesen mächtigen Wolkenschleiern folgen Gewitter und im allgemeinen eine Veränderung der Luftmasse. Sie sind oft mit stürmischen Winden verbunden.

**Richtung/Geschwindigkeit:** Sehr schnell, West-Südwest ➛ Ost-Nordost.

**Entwicklung:** Ein Gewitter mit sehr heftigen Böen, starken Niederschlägen und Hagel steht unmittelbar bevor. Schneller Durchzug und Abschwächung der Gewitter auf der Rückseite der Front. Manchmal gehen diese Wolkenschleier Gewitterfronten um 50 km oder mehr voraus.

**Gefahr:** Nahe bevorstehende, intensive Blitzschläge. Weitere Gewitterphänomene können sehr heftig sein.

**Situation nach dem Foto:** Schwere Gewitter über der gesamten Region, am Abend folgt kühleres und stabileres Wetter.

# Cumulonimbus mammatus

116

**Datum:** 21. August 1993. 980 m. Abend.

**Wetterlage:** SW-Strömung, aufsteigen labiler Luft aus SW. S-SW-Wind. 30-36 °C.

**Vorhersage:** Heiß und gewittrig. Lokale Gewitter über den Hügeln dehnen sich am Abend über das Flachland aus.

**Entfernung:** Ungefähr 1 000 m vom Zenit.

**Bildanalyse:** Cumulonimbus mammatus liegen auf der Rückseite einer Gewitterlinie, die sich nach Osten verlagert. Diese Ausbuchtungen können auch unter anderen Wolkentypen auftreten; wenn sie so schattiert und bedrohlich wirken, handelt es sich um eine Gewitterwolke.

**Richtung/Geschwindigkeit:** Mäßig, West ➛ Ost.

**Entwicklung:** Im allgemeinen kündigt ihr Auftreten das Ende des Gewitters an, es schließt jedoch das Heranziehen späterer Gewitter aus west-südwestlicher Richtung nicht aus. In selteneren Fällen können sie bestimmten Gewitterfronten vorausgehen und Schauplatz spektakulärer elektrischer Erscheinungen sein.

**Gefahr:** Risiko von vereinzelten, die Mammatusschicht durchquerenden Blitzschlägen vom Gipfel der Cumulonimbus aus.

**Situation nach dem Foto:** Dem Gewitter folgen einige lokal begrenzte Gewitter und Abkühlung.

*Siehe Seiten 128, 136* 2

# Cumulonimbus mammatus

**Datum:** 23. April 1986. 160 m. Abend.

**Wetterlage:** Labile Luftmasse mit lokal gewittrigen Entwicklungen. Sehr trokkene Luft über dem Boden. Kalte Höhenluft. Schwacher Südwestwind. Temperatur 15 °C.

**Vorhersage:** Möglicherweise Gewitterschauer.

**Entfernung:** Ungefähr 3 000 m vom Zenit.

**Bildanalyse:** Mammatus erscheinen in der unteren Partie des Ambosses einer abziehenden Cumulonimbus. Diese Anordnung kündigt oft an, daß das Gewitter beendet ist (sichtbare Aufheiterungen in der Ferne). Sie sind im allgemeinen mit nahen Gewittersituationen verbunden. Sie können jedoch auch einige inoffensive Wolken, wie die Stratocumuli, erzeugen. Auf der Vorderseite einer Gewitterfront deuten die mammatus auf ein schweres Gewitter mit Wirbelsturmrisiko hin. Sie können ein Zeichen für spektakuläre elektrische Erscheinungen zwischen den Wolken sein.

**Richtung / Geschwindigkeit:** Mäßig, West-Südwest ➛ Ost-Nordost.

**Entwicklung:** Abzug des Gewitters. Möglichkeit weiterer Gewitter in der frühen Nacht.

**Gefahr:** Gering, das Gewitter zieht Richtung Ost-Nordost.

**Situation nach dem Foto:** Beendigung der Gewitter. Aufheiterungen.

# Cumulonimbus capillatus in einem außergewöhnlichen Gewitter

**Datum:** 23. Mai 1994. 975 m. Später Abend.

**Wetterlage:** Gestörte Südwestströmung mit Aufsteigen warmer, labiler Luft aus dem Südwesten auf der Vorderseite einer Wellenfront. Südwind. 15-22 °C.

**Vorhersage:** Bedeckter Himmel, vereinzelte Gewitter. Besserung am Abend.

**Entfernung:** Ungefähr 5 km Richtung Süd-Südost.

**Bildanalyse:** Sich auflösende Cumulonimbus. Tiefer Amboß ohne Beständigkeit, der kaum das Stockwerk der Altocumuli überragt. Sichtbare Regen- und Hagelschauer (rosafarbene Vertikalstreifen) aus dem Gipfel. Chaotische, unvorhersehbare Blitzschläge über die gesamte Höhe (unbekannter Fall). Das Auftreten von Stratus fractus (C1-C2) bedeutet ziemlich starke Niederschläge.

**Richtung/Geschwindigkeit:** Sehr langsam, Süd ➛ Nord.

**Entwicklung:** Blitze selten (zu schwache Ambosse), auf der Rückseite können aber beständigere Köpfe verdeckt sein. Gefahr nächtlicher Gewitter.

**Gefahr:** In diesem speziellen Fall Gefahr von Blitzschlägen, die elektrische Aktivität ist bedeutend. Schräg laufende Blitzschläge entstehen manchmal im rosafarbenen Abschnitt AB und treffen Stellen außerhalb der Gewitterzone.

**Situation nach dem Foto:** Nach 30 min. erreicht das Gewitter den Standort. Ein zweites Gewitter folgt eine Stunde später etwas weiter im Südosten. Klare Nacht.

*Siehe Seite 87*

*Siehe Seiten 30, 31, 114* 2

# Abzug einer Gewitterfront

**Datum:** 21. Juli 1992. 1 150 m. Nachmittag.

**Wetterlage:** Durchzug einer sehr aktiven gewittrigen Kaltfront im Norden und eines sehr kalten Tiefdrucktroges in der Höhe. Auf der Vorderseite Südweströmung, die sich am Ende des Tages nach Westen orientiert. 20-24 °C.

**Vorhersage:** Bewölkt mit gewittrigen Resten am Vormittag. Wiederbeginn der Gewitter am späten Vormittag und Nachmittag. Heftige Gewitter, begleitet von Hagel und starken Regenfällen. Abends Abkühlung und Beendigung der Gewitter.

**Entfernung:** Die dunkelste Zone (D) ungefähr 50 km Richtung Osten.

**Bildanalyse:** Abzug einer Gewitterfront. Die dichten, weißen Quellungen (B) der Haufenwolken scheinen durch die Stratocumulusschichten (A und C) hindurch. Ein bleigrauer Streifen (D) weist auf Niederschläge hin. Wenn die Front schmal ist, kündigt dieser Himmelstyp im allgemeinen das Ende der Gewitter an.

**Richtung/Geschwindigkeit:** Ziemlich schnell, West ➛ Ost.

**Entwicklung:** Verlagerung der Zone Richtung Osten. Die Stratocumuli (A und C) deuten eine stabilere und kühlere Luftmasse an.

**Gefahr:** Keine, sofern die Wolken schichtförmig bleiben oder der Regen nachläßt und gleichmäßiger wird.

**Situation nach dem Foto:** Abzug der Front nach Osten. Rückseitig zieht kaltes, wechselhaftes Wetter heran. Nordwestwind.

*Siehe Seite 84* 2

# Konvektionsgewitter

**Datum:** 12. Mai 1994. 1 150 m. Später Nachmittag.

**Wetterlage:** Eine regnerisch-gewittrige Störung verlagert sich nach Osten. Frisch und bewölkt. Bodenwind aus Südost und Höhenwind aus West-Südwest. Temperatur 14-23 °C.

**Vorhersage:** Bedeckt mit lokal gewittrigen Regenfällen am Vormittag. Am Nachmittag kurze Platzregen über den Geländeerhebungen.

**Entfernung:** Ungefähr 1,5 Richtung Osten (Regenbogen).

**Bildanalyse:** Gewittrige Hagelschauer, begleitet von einem Donnerschlag. Kleines Gewitter ohne Folgen. Der dunkle Schleier kennzeichnet anhaltende Schauer, die sich Richtung Ost-Nordost verlagern. Diese Gewitterschauer im Frühling treten häufig bei labilen Situationen mit Konvektionsbewegungen in Kaltluft oder Rückseitensituationen auf.

**Richtung / Geschwindigkeit:** Ziemlich schnell, West-Südwest ➛ Ost-Nordost.

**Entwicklung:** Verlagerung vom Betrachter weg. Verfolgen Sie zukünftige Haufenwolkenbildungen in südwestlicher oder westlicher Richtung.

**Gefahr:** Risiko vereinzelter Blitzschläge auf der Rückseite des Niederschlagsschleiers, in Höhe des Regenbogens.

**Situation nach dem Foto:** Aufeinanderfolge von Regen- und Hagelschauern sowie Graupeln. Keine weiteren elektrischen Erscheinungen.

# Frontgewitter

**Datum:** 16. Mai 1994. 500 m. Abend.

**Wetterlage:** Tiefdruckgebiet über dem Südwesten mit vorherrschender Südwestwetterlage. Süd-Südwestwind. Temperatur 20-24 °C.

**Vorhersage:** Gewittrige Platzregen im Süden und Westen nehmen zu und breiten sich am Abend über die ganze Region aus.

**Entfernung:** Ungefähr 2 bis 3 km Richtung Osten (Regenbogen).

**Bildanalyse:** Klassische Situation einer nach Osten ziehenden Gewitterfront, mit Auftreten eines doppelten Regenbogens. Sehr nahe Schauer mit sichtbarem Hagelschleier bei A1-B1.

**Richtung/Geschwindigkeit:** Langsam, vom Betrachter weg, West ➛ Ost.

**Entwicklung:** Ende des Gewitters. Der Schatten im Vordergrund weist auf eine weitere Wolkendecke hin. Neue Gewitterentwicklungen im Westen möglich.

**Gefahr:** Begrenzte elektrische Aktivität, aber Risiko von eventuell positiv geladenen, sehr intensiven Blitzschlägen im Bereich der Hagelzone und des Regenbogens, selbst wenn das Gewitter beendet erscheint.

**Situation nach dem Foto:** Einmaliger, aber sehr heftiger Blitzschlag. Entfernung des Gewitters und Abschwächung der Front nach Nordosten. Ruhige Nacht. Kältere Luft.

*Siehe Seite 52* 2

# Blitze



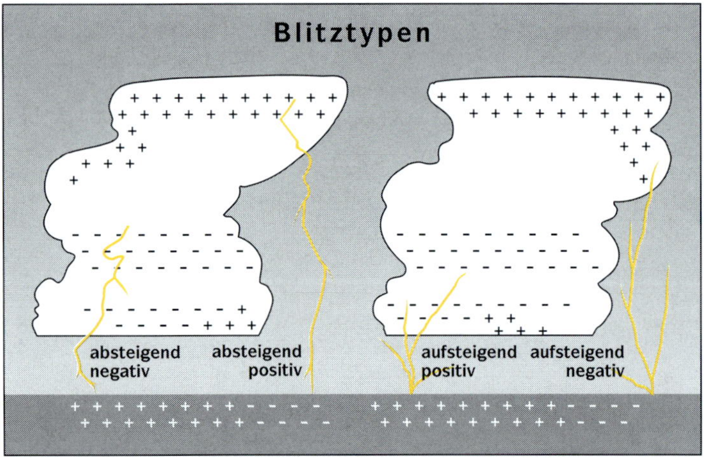


Nach ihrer Form, Häufigkeit, Farbe und Position in der Wolke liefern Blitze dem Betrachter wertvolle Hinweise. Das folgende Kapitel stellt Kriterien vor, die eine Vorhersage einiger Gewitter ermöglichen.

Unter allen Blitzen stellt nur der Blitzschlag eine wirkliche Gefahr für den Menschen dar. Dieser gewaltige „Kurzschluß“ ereignet sich, wenn der Spannungsunterschied zwischen der Wolke und der Erde über 100 Millionen Volt erreicht. Es existieren zwei Arten von zerstörerischen Blitzschlägen: Die erste, kurz, aber sehr intensiv, weist einen explosiven und sehr heftigen Charakter auf. Die zweite ist weniger schlagkräftig aber von längerer Dauer (über eine halbe Sekunde) und verursacht häufiger Brände.

Die meisten Blitzschläge mit negativer Polarität entstammen dem mittleren Stockwerk, einem Bereich, in dem die Temperatur zwischen -10°C und -20°C schwankt. Die selteneren Blitze mit positiver Polarität entstehen ohne Zweifel in den hohen Gipfeln der Gewitterwolken, wo Temperaturen zwischen -50°C und -70°C herrschen. Sie verursachen oft spektakuläre Zerstörungen, insbesondere auf der Rückseite von Frontgewittern. Die ersten Blitze zu Beginn eines trockenen Gewitters verursachen ebenfalls häufig Schäden.

Die Zeit zwischen dem Aufleuchten des Blitzes und dem Eintreten des Donners weist auf die Entfernung des Gewitters hin. Da die Geschwindigkeit des als Donner wahrgenommenen Schalls 340 Meter in der Sekunde beträgt, muss man nur das Zeitintervall mit 340 multiplizieren. Beispiel: 10 Sek. x 340 = 3,4 km.

# Cumulonimbus capillatus incus

**Datum:** 21. Mai 1992. 1 080 m. Späte Nacht.

**Wetterlage:** Tiefdruckgebiet im Süden, Absinken kalter Luft aus Nordwest. Niedriger Luftdruck. Erhöhte Luftfeuchtigkeit. Nordwestwind. Am Vortag 13-28 °C.

**Vorhersage:** Einzelne Gewitterherde.

**Entfernung:** Ungefähr 25 km Richtung Westen-Südwesten.

**Bildanalyse:** 30-stündige Gewitterperiode: von 14 Uhr des 20. bis 20 Uhr des 21. Mai. Das Gewitter verlagert sich nach Süden in Richtung zur Bergkette. Der hintere Teil des Ambosses (A2) ist gut sichtbar. Elektrische Aktivität vollzieht sich über die gesamte Höhe. Lokales, aber sehr aktives Gewitter. Ein Blitzschlag in der Ferne (B1) läßt eine Ausdehnung nach Südosten vermuten.

**Richtung / Geschwindigkeit:** Mäßig, Nordwest ➛ Südost.

**Entwicklung:** Nachdem eine Gewitterperiode die gesamte Nacht angedauert hat, enden die Gewitter meist mit Sonnenaufgang (Abkühlung in den tieferen Schichten und Erwärmung der Gipfel). Abnehmendes Gewitterrisiko.

**Gefahr:** Keine. Das Gewitter ist zu weit entfernt und verlagert sich nach links. Beobachten Sie eventuell in der Umgebung auftretende Gewitterbildungen.

**Situation nach dem Foto:** Ausnahmesituation. Vorrücken des Gewitters mit beständiger Aktivität Richtung Südosten. Nach einer Stunde neue Gewitterwelle. Starke Gewitter von 7–9.45 Uhr mit Blitzschlägen. Gewitter am Nachmittag.

# Ferne Cumulonimbus und Cumulus congestus – Wolkenblitze

**Datum:** 5. Juli 1987. 1 265 m. Frühe Nacht.

**Wetterlage:** Hochdruckverhältnisse (1 018 hPa). Aufsteigen von warmer und labiler Luft aus dem Süden verbunden mit einem Kaltlufttropfen über dem Südwesten. Vereinzelt Gewitter. Windstille. Temperatur 26 - 31 °C.

**Vorhersage:** Warmes und sonniges Wetter mit lokaler Gewitterneigung am Abend über den Geländeerhebungen.

**Entfernung:** Ungefähr 80 km Richtung Süden.

**Bildanalyse:** Konvektionsgewitter. Blitzschläge sind aufgrund der Entfernung nicht zu erkennen. Nur die Federwolken im oberen Bereich sind erhellt. Im Vordergrund lassen mächtige Cumulus congestus die Bildung neuer Gewitter in geringerer Entfernung innerhalb der nächsten halben Stunde vermuten. Der Halo um den Mond (A1) bestätigt die große Entfernung des Gewitters.

**Richtung / Geschwindigkeit:** Sehr langsam, Süd ➛ Nord zum Betrachter hin.

**Entwicklung:** Nähere Gewitter sind möglich, wenn im Gegenlicht von den Blitzen erhellte Haufenwolken erscheinen und zunehmend der Mond verdeckt wird.

**Gefahr:** Gering, diese Gewitter lösen sich im allgemeinen am Ort auf. Beobachten Sie die Entwicklung der Cumuli. Beim Vorrücken einer Kaltfront sind Gewitter so gut wie sicher.

**Situation nach dem Foto:** Ende der Gewitter nach eineinhalb Stunden.

# Ferner Gewitterkomplex

**Datum:** 20. August 1989. 700 m. Nachtmitte.

**Wetterlage:** Durchzug einer wenig ausgeprägten Gewitterfront. Auf der Rückseite Nachrücken eines Hochdruckgebietes. Südwind. Temperatur 25-29 °C.

**Vorhersage:** Heiß und gewittrig. Ausbreitung von Gewittern am Abend.

**Entfernung:** Ungefähr 80 km Richtung Südosten.

**Bildanalyse:** Fernes Gewitter. Blitzschläge sind nicht zu erkennen, da eine Bergkette die Wolkenbasen verdeckt. Dagegen gut erkennbare Wolkenblitze. Aufgrund der Entfernung und der Luftfeuchtigkeit entsteht eine rötliche Färbung. Das Aufquellen der Haufenwolken im hinteren Teil deutet die Bildung weiterer Gewitter an. Der gelbe Glanz in der Höhe (A1-A2) ist ein durch den Mond hervorgerufener Effekt. Bei B2 zuckt ein Blitz aus der letzten Gewitterzelle.

**Richtung/Geschwindigkeit:** Mäßig, Südwest ➛ Nordost (Entfernung).

**Entwicklung:** Hohe Gewitterwahrscheinlichkeit über dieser Region. Bei A kündigen die auseinandergezogenen Wolkenschichten eine gewisse Stabilität über dem Beobachtungsstandort an.

**Gefahr:** Keine, aufgrund der Entfernung des Gewitters.

**Situation nach dem Foto:** Langsame Verlagerung der Gewitter in Richtung Nordosten.

# Blitzschlag aus dem Gipfel einer Cumulonimbus

126

**Datum:** 29. Juni 1987. 340 m. Später Abend.

**Wetterlage:** Hochdruckgebiet (1 023 hPa). Gleichmäßige Luftmasse. Gewittrige Labilität über dem Südwesten. Wellenfront im Westen. Windstille. 31 °C.

**Vorhersage:** Schön und heiß. Gewitter am folgenden Tag.

**Entfernung:** Ungefähr 30 km Richtung Süden.

**Bildanalyse:** Dieser einzigartige Blitzschlag erfolgt zwischen der Erde und dem Gipfel einer 12 500 m hohen Cumulonimbus calvus. Er ist über 10 km lang. Das Blitzsegment bei A1 entspricht der Länge eines normalen Blitzes unter einer Basis. Es handelt sich zweifellos um einen kräftigen, positiv geladenen Blitz. Dieses Foto verdeutlicht die Gefahr am Rand einiger Gewitter. Manchmal können diese Blitze diagonal auf der Rückseite eines Gewitters verlaufen und einen Punkt am hellen Himmel treffen, der mehr als 10 km vom Gewittergebiet entfernt ist (insbesondere im Gebirge).

**Richtung / Geschwindigkeit:** Keine, unbewegliches Gewitter.

**Entwicklung:** Diese Gewitter lösen sich i.d.R. zu Beginn der Nacht am Ort auf.

**Gefahr:** Keine.

**Situation nach dem Foto:** Nach 15 Minuten elektrischer Aktivität, im wesentlichen in der Form von Wolkenblitzen, löst sich das Gewitter auf.

*Siehe Seite 72*

*Siehe Seiten 78, 79, 82*

# Cumulonimbus calvus
# Sehr intensive Wolkenblitze

**Datum:** 12. Oktober 1993. 1 080 m. Erste Nachthälfte.

**Wetterlage:** Ausgedehntes Tiefdruckgebiet im Westen. Schnelle Westströmung. Durchzug einer regnerisch-gewittrigen Störung. Südwestwind. 12-20 °C.

**Vorhersage:** Gewitterregen.

**Entfernung:** Ungefähr 20 km Richtung Südosten.

**Bildanalyse:** Gewitter in einer kalten Luftmasse. Im Augenblick der Aufnahme betrug die Temperatur am Boden 2 °C, der Nordwestwind war sehr kühl und die Temperatur der Tropopause lag bei -62 °C. Die kalte Luft und der klare Himmel sind wahrscheinlich Ursache der strahlenden Helligkeit dieses Gewitters.

**Richtung/Geschwindigkeit:** Ziemlich schnell, Nordwest ➛ Südost.

**Entwicklung:** Verlagerung nach Südosten. Über dem Beobachtungsstandort strömt kalte Luft herein, eine Gewitterbildung ist unwahrscheinlich.

**Gefahr:** Keine, das Gewitter zieht in die entgegengesetzte Richtung ab. Während der Hitzeperiode kündigt das Erscheinen ununterbrochener Wolkenblitze über große Entfernungen und zum Betrachter hin sintflutartige Regenfälle, heftige Winde und intensive Blitzschläge an.

**Situation nach dem Foto:** Verlagerung nach Südosten. In den folgenden Tagen Gewitter des gleichen Typs in südlicher Richtung.

# Gewitter mit stetigen Wolkenblitzen

**Datum:** 22. August 1993. 1 150 m. Frühe Nacht.

**Wetterlage:** Ein Tiefdruckgebiet über dem Südwesten erzeugt eine warme, labile Südweströmung. Eindringen einer Kaltfront. Südwestwind. 23-28 °C.

**Vorhersage:** Lokale Ausbreitung von heftigen Gewittern am Abend.

**Entfernung:** Ungefähr 25 km Richtung Südosten.

**Bildanalyse:** Dieses Gewitter ist in einer mit Feuchtigkeit gesättigten Luftmasse entstanden. Das Foto wurde während der Auflösung einer ausgedehnten Dunstschicht aufgenommen.

**Richtung / Geschwindigkeit:** Ziemlich schnell, Südwest ➛ Nordost.

**Entwicklung:** Das Gewitter entwickelt sich an der Kaltfront, die Entstehung weiterer Gewitter im Laufe der Nacht ist unwahrscheinlich.

**Gefahr:** Gering, das Gewitter zieht vom Betrachter weg. Die intensive Beleuchtung des Himmels und der beständige Cumulonimbus sind ein relativ sicheres Zeichen für sintflutartige Regenfälle, heftige Winde und starke Blitzschläge (siehe Seite 136). Die Beleuchtung der tiefen Wolken erweckt den Eindruck, daß die Blitze in alle Richtungen zucken. Eine Lokalisierung ist daher unmöglich.

**Situation nach dem Foto:** Sehr schweres Gewitter mit heftigen Niederschlägen in der Umgebung.

*Siehe Seite 136*

*Siehe Seite 116* 2

# Ununterbrochene elektrische Entladungen

**Datum:** 23. September 1993. 700 m. Nachtmitte.

**Wetterlage:** Wellenartig voranschreitende Kaltfront im Osten. Seit dem 21. September von West nach Ost ziehende, heftige Gewitter mit Zunahme der Regenfälle und der elektrischen Aktivität im Süden, dann im Südosten. West-Südwestwind. Temperatur am Vortag 26 °C.

**Vorhersage:** Hinweis auf heftige Gewitter mit starken Niederschlägen.

**Entfernung:** Verbreitete elektrische Entladungen Richtung Süd-Südwesten.

**Bildanalyse:** Wenn nach schweren Gewittern die Blitzschläge durch diffuse, fast unaufhörliche Entladungen abgelöst werden und die Niederschläge die nächsten Stunden anhalten, sind schwere Hochwasser unausweichlich. Während dieser Gewitter erscheinen zahlreiche leuchtende Entladungen am Himmel. Sie werden manchmal von extrem kräftigen Blitzen unterbrochen. Diese Situationen treten zwischen Mitte September und Mitte November auf.

**Richtung/Geschwindigkeit:** Sehr langsam, Nordwest ➛ Südost.

**Entwicklung:** Oft beständige Situation. Wenn ein Hochdruckgebiet die Verlagerung der Front blockiert, können die Schauer über 24 Stunden anhalten.

**Gefahr:** Plötzliche Hochwasser, Schlammlawinen, Erdrutsche und Steinschläge in Schluchten. Vereinzelnd auftretende, sehr intensive Blitzschläge.

**Situation nach dem Foto:** Hochwasser und Schäden in der Umgebung.

# Durchzug einer gewittrigen Kaltfront

**Datum:** 30. Juni 1993. 1 080 m. Mitternacht.

**Wetterlage:** Barometrischer Sumpf mit Tiefdrucktendenz. Am Boden feuchte und labile Luft. Schwacher Südwestwind, später Nordwestwind. Temperatur 19-23 °C.

**Vorhersage:** Bedeckter Himmel und lokal gewittrige Platzregen.

**Entfernung:** Ungefähr 20 km Richtung Westen.

**Bildanalyse:** Wenn wie hier die Lichtkontraste sehr ausgeprägt sind (Nebeneinander von sehr hellen und sehr dunklen Lilatönen) und die Blitzkanäle im grellen Lichtschein unter den bodennahen Wolkenbasen verschwommen erscheinen, sind die Gewitterphänomene im allgemeinen sehr heftig (starke Niederschläge, Stürme, intensive Blitzschläge).

**Richtung / Geschwindigkeit:** Schnell, Südwest ➛ Nordwest.

**Entwicklung:** Durchzug des Gewitters innerhalb einer halben Stunde.

**Gefahr:** Schauer, heftiger Wind und hohes Blitzschlagsrisiko in der folgenden halben Stunde. Blitzschläge stehen möglicherweise unmittelbar bevor (Verdichtung der Wolken am Zenit).

**Situation nach dem Foto:** In der folgenden Stunde starkes Gewitter über dem gesamten Gebiet. Entstehung weiterer Gewitter im Südwesten, zahlreiche und intensive Blitzschläge (unvorhergesehene Bildung einer Gewitterfront).

# Frontgewitter und Wolkenwand

**Datum:** 14. August 1993. 747 m. Frühe Nacht.

**Wetterlage:** Warme und labile Südweströmung auf der Vorderseite einer Kaltfront. Seit dem Vortag Gewitter im Südwesten. Starker Südwind. 24-31 °C.

**Vorhersage:** Heftige Gewitter während der Nacht.

**Entfernung:** Ungefähr 10 bis 15 km Richtung Nord-Nordwesten.

**Bildanalyse:** Durchzug heftiger Gewitter auf der Vorderseite einer Kaltfront. Die lokale Feuchtigkeitszunahme verursacht hier die Bildung einer Wolkenwand (Senkung der Wolkenbasis A1-A2). Örtlich sind diese Phänomene als gefährlich einzustufen, ihre Bedeutung hängt vom Anwachsen des Kopfes der Gewitterwolke ab. Es scheint, daß die heftigsten Gewitter niedrige und warme Basen besitzen.

**Richtung / Geschwindigkeit:** Ziemlich schnell, Nordwest ➛ Südost.

**Entwicklung:** Heftige Gewitter, Risiko zerstörerischer Winde und zahlreiche Blitzschläge in den folgenden 15 Minuten, dann starke Niederschläge.

**Gefahr:** Risiko intensiver Blitzschläge, starke Niederschläge auf der Rückseite. Das kontinuierliche Auftreten elektrischer Entladungen in der Höhe verbunden mit tiefen Wolkenbasen ist Bestandteil sehr gefährlicher Gewitter.

**Situation nach dem Foto:** 20 Minuten später Gewitter über dem Standort. Starker Wind gefolgt von heftigen Regenfällen, unterbrochen von zerstörerischen Blitzschlägen auf der Rückseite des Gewitters.

# Festsetzung eines ausgedehnten Gewitters

132

**Datum:** 9. September 1993. 787 m. Frühe Nacht.

**Wetterlage:** Sehr labile Südwestströmung auf der Vorderseite einer Kaltfront. Tiefdruckgebiet über dem Nordwesten. Süd-Südostwind. Temperatur 23-26 °C.

**Vorhersage:** Am späten Abend verstärkte Gewitterneigung.

**Entfernung:** 30 bis 40 km Richtung Nordwesten.

**Bildanalyse:** Nach einer Abfolge von heftigen Gewittern am Nachmittag bildet sich in der Nacht erneut ein Gewitter. Die relativ deutlich erkennbaren Blitze sowie die orange Färbung deuten auf noch wenig ausgeprägte Niederschläge hin. Weiter im Vordergrund (Streifen AB) lassen dunkle Wolken schwache Lichtschimmer durchscheinen, die Blitzschläge in geringerer Entfernung ankündigen.

**Richtung / Geschwindigkeit:** Sehr langsam, West ➤ Ost, aber auf der Rückseite Nordost ➤ Südwest.

**Entwicklung:** Risiko eines heftigen Gewitters in der kommenden Stunde über der gesamten Region. Lang anhaltendes Gewitter mit starken Niederschlägen.

**Gefahr:** Risiko eines Blitzschlags in der nächsten Viertelstunde. Die intensiven Regenfälle können Erdrutsche und eventuell Hochwasser auslösen.

**Situation nach dem Foto:** Mehrstündiges Gewitter mit mehrfachen Blitzschlägen über dem Standort und der Region. In der zweiten Nachthälfte sehr starke Regenfälle, unterbrochen von intensiven Blitzschlägen.

*Siehe Seiten 133, 134*

*Siehe Seite 135* 2

# Kräftige Blitzentladung in einen Gipfel

**Datum:** 9. September 1993. 787 m. Frühe Nacht.

**Wetterlage:** Sehr labile Südwestströmung auf der Vorderseite einer Kaltfront. Tiefdruckgebiet über dem Nordwesten. Süd-Südostwind. Temperatur 23-26 °C.

**Vorhersage:** Am späten Abend verstärkte Gewitterneigung.

**Entfernung:** Ungefähr 25 km Richtung Nordwesten.

**Bildanalyse:** Dieser Blitzeinschlag in den höchsten Gipfel der Landschaft erfolgte einige Augenblicke nach Aufnahme des Fotos von Seite 132. Die Entladung in der Wolke und der geradlinige Blitz sind außerordentlich stark.

**Richtung/Geschwindigkeit:** Sehr langsam, West ➛ Ost, aber schnelle Ausdehnung Nordost ➛ Südwest.

**Entwicklung:** Voraussichtlich heftiges Gewitter mit Ausdehnung über die gesamte Region. Wolkenbruchartiger Regen ist möglich.

**Gefahr:** Die Bewölkung über dem Betrachter läßt unmittelbar bevorstehende Blitzschläge sowie eine große Wahrscheinlichkeit dauerhafter Gewitter, intensiver Regenfälle und möglicherweise Hochwasser vermuten.

**Situation nach dem Foto:** Mehrstündiges Gewitter mit Blitzeinschlägen über dem Standort und der Region. In der zweiten Nachthälfte starke Regenfälle, unterbrochen von intensiven Blitzschlägen.

*Siehe Seiten 132, 134*

*Siehe Seite 135* 2

# Blitzeinschlag in einen Bergkamm

**Datum:** 9. September 1993. 835 m. Nacht.

**Wetterlage:** Sehr labile Südweströmung auf der Vorderseite einer Kaltfront. Tiefdruckgebiet über dem Nordwesten. Süd-Südostwind. Temperatur 23-26 °C.

**Vorhersage:** Am späten Abend verstärkte Gewitterneigung.

**Entfernung:** Ungefähr 1 200 m Richtung Norden.

**Bildanalyse:** Blitzeinschlag in einen 860 m hohen Bergkamm 22 Minuten nach der Aufnahme des Fotos auf Seite 133. Das elektrische Feld war zu diesem Zeitpunkt so erhöht, daß während des Gewitterhöhepunktes die Aufnahmen eines ganzen Videobandes undeutlich wurden).

**Richtung / Geschwindigkeit:** Sehr langsam, West ➛ Ost, aber Ausdehnung auf der Rückseite.

**Entwicklung:** Sehr langsame Ausdehnung des Gewitters Richtung Osten-Südosten und fortschreitende Umwandlung der elektrischen Aktivität in heftige Entladungen zwischen den Wolken. Immer stärker werdender Regen.

**Gefahr:** Extremes Blitzschlagsrisiko. Beträchtliches elektrisches Potential über dem Beobachtungsstandort. Risiko von Erdrutschen und Steinschlägen.

**Situation nach dem Foto:** Die Dichte der Blitzschläge nimmt ab. Ausgiebige Regenfälle, begleitet von zahlreichen Luftentladungen von sehr großer Ausdehnung, die durch wenige intensive Blitzschläge unterbrochen werden.

*Siehe Seiten 132, 133*

*Siehe Seite 135* 2

# Diagonaler Blitzeinschlag in einen Berghang

**Datum:** 10. September 1993. 787 m. Mitternacht.

**Wetterlage:** Sehr labile Südweströmung auf der Vorderseite einer Kaltfront. Tiefdruckgebiet über dem Nordwesten. Süd-Südostwind. Temperatur 23-26 °C.

**Vorhersage:** Am späten Abend verstärkte Gewitterneigung.

**Entfernung:** Ungefähr 7 km Richtung Ost-Südost.

**Bildanalyse:** Dieser einzelne Blitzeinschlag tritt inmitten einer Abfolge von Wolkenblitzen auf. Seine diagonale Form ist ziemlich verbreitet, insbesondere am Ende von Gewittern, wenn die Niederschläge sehr ausgiebig sind. Diese Blitzschläge entstehen in Zusammenhang mit langen Luftentladungen. Während eines lokalen Gewitters schlägt nicht selten ein Blitz in den unteren Hang eines bewaldeten Tals ein, wenn sich die Gewitterwolke über der gegenüberliegenden Ebene befindet, sogar wenn der Himmel über dem Betrachter klar ist.

**Richtung / Geschwindigkeit:** Sehr langsam, West-Nordwest ➛ Ost-Südost.

**Entwicklung:** Umbildung in ein Gewitter mit intensiven Regenfällen, dessen elektrische Aktivität im wesentlichen Wolkenblitze und Luftentladungen umfaßt.

**Gefahr:** Risiko vereinzelter, aber intensiver Blitzschläge.

**Situation nach dem Foto:** Einstündiges Gewitter. Fortschreitendes Abnehmen der Blitze und Verlagerung Richtung Osten.

*Siehe Seiten 132, 133, 134* 

# Extremer Blitzschlag

**Datum:** 22. August 1993. 1 000 m. Frühe Nacht.

**Wetterlage:** Ein Tiefdruckgebiet über dem Südwesten erzeugt eine warme und labile Südwestströmung. Eindringen einer Kaltfront. Südwestwind. 23-28 °C.

**Vorhersage:** Verbreitung lokal heftiger Gewitter am Abend.

**Entfernung:** Ungefähr 2 500 m Richtung Ost-Nordosten.

**Bildanalyse:** Letzter Blitzschlag auf der Rückseite eines Gewitters (siehe Seite 128). Im allgemeinen entstehen Blitze, die am Ende eines Frontgewitters Zerstörungen und Brandschäden anrichten, durch positive Ladungen in den hohen Gipfeln von Cumulonimben. Diese extremen Blitzschläge können Dutzende von Kilometern in den Ambossen zurücklegen bevor sie in einen Punkt auf der Erde einschlagen.

**Richtung / Geschwindigkeit:** Schwach, West-Südwest ➛ Ost-Nordost.

**Entwicklung:** Mehrere Minuten auseinanderliegende, starke Blitze kennzeichnen das Ende des Gewitters. Dann Aufheiterungen oder Regen.

**Gefahr:** Abzug des Gewitters vom Betrachter weg. Abnehmende, aber nicht vollständig abgewendete Gefahr.

**Situation nach dem Foto:** Vorrücken der Gewitter Richtung Osten. Auf der Rückseite frisches und ruhiges Wetter.

*Siehe Seite 128* *Siehe Seite 116* 2

# Unvermuteter Blitzeinschlag am Rand eines fernen Gewitters

**Datum:** 9. Juli 1993. 550 m. Mitternacht.

**Wetterlage:** Tiefdruckgebiet über dem Südwesten und Eindringen einer Kaltfront. Den ganzen Tag über bilden sich Gewitterwolken. Südwestwind am Boden. Temperatur 27-30 °C.

**Vorhersage:** Schwül und im Laufe der Nacht zunehmend gewittrig.

**Entfernung:** Das ferne Gewitter 18 km Richtung Süden.

**Bildanalyse:** Diese Aufnahme verdeutlicht die Gefahren, die von einem fernen Gewitter unter einem bedeckten Himmel ausgehen. Der Blitz (1) ist ohne vorausgehende elektrische Anzeichen in 2,7 km Entfernung plötzlich eingeschlagen. Er stammt aus einer seitlichen Zelle, die am Rand des Hauptgewitters entstanden ist. Im allgemeinen gehen dem ersten Blitzeinschlag Lichtschimmer in der Höhe voraus, die die Wolken aufhellen sowie dumpfe Donnerschläge.

**Richtung / Geschwindigkeit:** Mäßig, Südwest ➛ Nordost.

**Entwicklung:** Möglicherweise seitliche Ausdehnung der Gewitter.

**Gefahr:** Unmittelbar bevorstehende Blitzschläge.

**Situation nach dem Foto:** Vier Minuten nach der Aufnahme ging ein Gewitter über dem Beobachtungsstandort nieder. Bis zum Vormittag dehnten sich die Gewitter über die gesamte Region aus.

*Siehe Seite 96*

# Blitzeinschlag in einen Einzelberg

**Datum:** 20. August 1992. 750 m. Zweite Nachthälfte.

**Wetterlage:** Ein Tiefdruckgebiet über dem Südwesten erzeugt eine feuchte und sehr labile Südwestströmung. Schwacher Südwestwind. Temperatur 26-29 °C.

**Vorhersage:** Starke, gewittrige Platzregen.

**Entfernung:** 12 km in Richtung eines Südosthanges.

**Bildanalyse:** Über einer Bergkette entstandenes Gewitter. Das Foto zeigt einen intensiven Blitzeinschlag in einen Vulkan. Kurz darauf trafen zwei weitere Blitzschläge den östlichen Rand des Gipfels. Dieses Gebiet im französischen Zentralmassiv ist aufgrund seiner landschaftlichen Attraktivität stark besucht, die hohe Dichte der Blitzschläge über der Landschaft birgt jedoch das Risiko katastrophaler Blitzschläge.

**Richtung/Geschwindigkeit:** Ziemlich schnell, Südwest ➛ Nordost.

**Entwicklung:** Ausbreitung des Gewitters und Gewitterneigung auf der Rückseite.

**Gefahr:** In der folgenden Viertelstunde Risiko eines Blitzschlags.

**Situation nach dem Foto:** Zunächst Ausbreitung, dann rascher Abzug des Gewitters.

# Blitzeinschlag in ein Plateau am Anfang eines mehrzelligen Gewitters

**Datum:** 21. Juni 1993. 1 167 m. Nachtmitte.

**Wetterlage:** Ein Tiefdruckgebiet im Südosten begünstigt den gewittrigen Aufstieg der Luft. Südwestströmung. Südwestwind am Boden. Temperatur 19-25 °C.

**Vorhersage:** Lokal heftige Gewitter mit Hagel und Böen.

**Entfernung:** Nahe Blitzschläge 5 km Richtung Südwesten.

**Bildanalyse:** Nach 20-minütigen intensiven Wolkenblitzen treten erste Blitzschläge auf. Ihre unregelmäßige Anordnung läßt mindestens sechs aktive Zellen erkennen, die zur selben Zeit das Reifestadium erreichten. Die kurzen Blitze können bei der Abschätzung der Entfernungen irreführen, das Gewitter ist in Wirklichkeit dem Betrachter sehr nahe.

**Richtung / Geschwindigkeit:** Mäßig, Südwest ➛ Nordost.

**Entwicklung:** Kurz bevorstehendes, schweres Gewitter. Die Leuchtkraft und Deutlichkeit der Blitze sind charakteristisch für ein trockenes und junges Gewitter. Wahrscheinlich lösen die mehrfachen Konvektionszellen ein wesentlich stärker ausgebreitetes Gewitter aus.

**Gefahr:** Extreme Gefahr. Blitzschlag über dem Standort in den folgenden Minuten.

**Situation nach dem Foto:** Sechs Minuten später Gewitter über dem Standort mit Zunahme der Blitz- und Niederschläge. Östliche Ausbreitung des Gewitters.

*Siehe Seite 140*

*Siehe Seiten 39, 43, 80, 94, 113* 2

# Blitzeinschläge in eine Weidefläche und eine Tanne

140

**Datum:** 21. Juni 1993. 1 167 m. Nachtmitte.

**Wetterlage:** Ein Tiefdruckgebiet über dem Südwesten begünstigt den gewittrigen Aufstieg der Luft. Südweströmung. Südwestwind am Boden. 19-25 °C.

**Vorhersage:** Lokal heftige Gewitter mit Hagel und Böen.

**Entfernung:** 2 375 m (Blitz 3), 3 125 m (Blitz 2).

**Bildanalyse:** Die Aufnahme dieser gleichzeitigen Blitzeinschläge erfolgte kurz nach dem Foto auf Seite 139. Bei Markierung 1 weist die dünne Form und das Fehlen von Kontrasten auf Schauer oder ein vorangegangenes trockenes Gewitter hin. Bei 2 trifft ein zweiter Blitzeinschlag Weideland. Bei 3 schlägt der Blitz in eine Tanne ein. Waldränder sind stärker betroffen als das Waldinnere.

**Richtung / Geschwindigkeit:** Mäßig, Südwest ➛ Nordost.

**Entwicklung:** In der folgenden Stunde kann ein anhaltendes und ausgedehntes Gewitters niedergehen.

**Gefahr:** Unmittelbar bevorstehender Blitzschlag. Durch das Vorhandensein von Begleitwolken unter der Gewitterwolke entsteht der Anschein von kurzen Blitzen.

**Situation nach dem Foto:** Vier Minuten später Gewitter über dem Standort und fortschreitende Zunahme der Blitz- und Niederschläge. In den folgenden zwei Stunden Ausbreitung des Gewitters über den Ostteil der Region.

*Siehe Seite 139*

*Siehe Seiten 39, 43, 80, 94, 113* 2

# Dreifacher Blitzeinschlag in eine Weidefläche

**Datum:** 7. Juni 1993. 1 200 m. Nachtmitte.

**Wetterlage:** Druckabfall. Barometrischer Sumpf. Örtlich Nordostströmung, dann Nordweströmung. Süd-Südwestwind am Boden. Temperatur 21-30 °C.

**Vorhersage:** Warm und am Abend lokal gewittrig über den Geländeerhebungen.

**Entfernung:** 1 000 m Richtung Südwesten.

**Bildanalyse:** Dreifacher Blitzeinschlag in eine Weidefläche am Ende eines heftigen und langen Gewitters. Das Auftreten mehrerer Lichtpunkte (A 1 - B 2) weist wahrscheinlich auf Glimmentladungen an den Spitzen von Stacheldrahtzäunen hin. Zäune, die kahle Hochebenen umgeben, stellen eine beträchtliche Gefahr dar. Sie sind oft die einzigen Vorsprünge und können die Blitzströme von der Einschlagstelle aus über sehr lange Distanzen weiterleiten.

**Richtung/Geschwindigkeit:** Sehr langsam, Nord ➛ Süd.

**Entwicklung:** Anhaltender Regen, unterbrochen von Luftentladungen.

**Gefahr:** Extreme Gefahr, ausgedehntes Gewitter. Kräftige Blitze.

**Situation nach dem Foto:** Langsame Auflösung des Gewitters, eineinhalb Stunden später gefolgt von weiteren lokalen Gewittern.

*Siehe Seite 145*

# Blitzeinschläge in Eichen während eines trockenen Gewitters

**Datum:** 26. Mai 1989. 300 m. Abend.

**Wetterlage:** Hochdruckgebiet über dem Norden und Tiefdruckgebiet im Süden über dem Meer. Warme und trockene Südströmung. Am Boden Südostwind, später Nordostwind. Temperatur 25 - 28 °C.

**Vorhersage:** Warm und schön mit Gewitterneigung am Abend.

**Entfernung:** Weniger als 800 m Richtung Norden-Nordosten.

**Bildanalyse:** Obwohl selten, sind die Gewitter mit geringer Verlagerung (von Nordosten nach Südwesten) im allgemeinen sehr heftig und dauerhaft. Diese Eichen wurden im Verlauf eines sehr elektrischen Gewitters getroffen. Entgegen einem weit verbreiteten Aberglauben ist keine Baumart vor Blitzeinschlägen sicher.

**Richtung:** Nordost ➛ Südwest, später Nordwest ➛ Südost.

**Entwicklung:** Diese trockenen und lang anhaltenden Gewitter lassen oft eine Ausbreitung vermuten, die früher oder später mit heftigen Niederschlägen verbunden ist. Risiko nächtlicher Gewitter.

**Gefahr:** Extreme Gefahr, das Gewitter befindet sich oberhalb des Standorts.

**Situation nach dem Foto:** Ausdehnung des Gewitters mit außergewöhnlich intensiven Blitzschlägen, die eine Stunde dauern, und sintflutartigen Niederschlägen, begleitet von Hagel.

# Blitzeinschlag in ein Getreidefeld

**Datum:** 1. August 1988. 200 m. Frühe Nacht.

**Wetterlage:** Auf der Vorderseite einer gewittrigen Kaltfront bildet sich schon am Vormittag eine Gewitterzone, die sich am Abend nach Nordosten verlagert. Wind aus Südosten, später aus Südwesten. Temperatur 27-32 °C.

**Vorhersage:** Gewitterneigung am Abend.

**Entfernung:** 500 m, im Vordergrund ungefähr 150 m Richtung Westen.

**Bildanalyse:** Diese beiden am Fuße eines Berges aufgenommenen Blitze schlugen zu Beginn des Gewitters in Weizen- und Luzernenfelder ein. Selbst in vollkommen ebenen Gebieten ist ein Blitzeinschlag nichts ungewöhnliches. Der Blitz schlägt überall ein, selbst in sehr flache Landschaften oder über glatten Oberflächen (Seen, Straßen...).

**Richtung/Geschwindigkeit:** Ziemlich schnell, West ➛ Ost.

**Entwicklung:** Verstärkung des Gewitters innerhalb der nächsten Stunde, eventuell weitere Gewitter auf der Rückseite.

**Gefahr:** Risiko eines extremen Blitzeinschlags, der sich sogar bei dieser Entfernung in Granit- oder Basaltboden verheerend auswirken kann.

**Situation nach dem Foto:** Zunehmende Entfernung und Verstärkung des Gewitters, gefolgt von extrem heftigen Winden. Später erneute Gewitterwelle.

# Gewitterschäden

144 Gewitter umfassen vier zerstörerische Elemente: Blitzschlag, Wind, Regen und Hagel. Wenn diese vier Elemente in ein und demselben Gewitter wüten, entstehen beträchtliche Schäden. Hinweise und Ratschläge zu diesem Thema folgen im Kapitel „Die Gefahren von Gewittern“.

## Welche Orte und Gegenstände soll man während eines Gewitters meiden?

### Draußen

- Bäume und freistehende Büsche, Waldränder, Heuschober.
- Verwerfungen, Felsspalten, Eingänge von Grotten und Höhlen.
- Sumpfgebiete, feuchte Straßengräben, Quellen und Wasserfälle (stärker leitende Luft durch Wasserspritzer), Flußufer, Teiche, Brunnen, Wassertürme.
- Bergkämme, Grate, Felsvorsprünge und Gipfel.
- Stein- oder Holzhütten mit Blechdächern.
- Stacheldrahtzäune, Gitter und Maschendraht.
- Elektrische Leitungen, Masten, Antennen.
- Metallbrücken und Viadukte, Eisenbahnschienen.
- Schrotthaufen, Regenrohre, Dachrinnen.

### Drinnen

- Telefone, elektrische Geräte und die Nähe von Steckdosen.
- Wasserrohre und -hähne, Duschen, Heizkörper.
- Türen, starke Zugluft (auch wenn es nicht wissenschaftlich erwiesen ist, ereignen sich anscheinend zahlreiche Blitzeinschläge in entsprechenden Situationen).

Wir weisen darauf hin, daß es weit verbreitete Ansichten über die Schutzfunktion bestimmter Gegenstände und Gewächse gibt, die leider nicht zutreffen. Der Blitz kann überall einschlagen. Der einzige Unterschlupf, der einen Schutz garantiert, ist der „Faradaysche Käfig“. Dies läuft wieder darauf hinaus, daß jedem von uns während eines Gewitters Gefahr droht und es keinen wirklichen Schutz gibt, auch wenn einige Orte weniger Gefahr ausgesetzt sind als andere.

Juni 1991. 1 100 m.
Wie man sehen kann, wurde diese Kuh in der Nähe eines Stacheldrahtzaunes unter einem Weißdorn vom Blitz erschlagen. Bei der Überprüfung wiesen die Blätter zahlreiche, durch den Blitzstrom verursachte Austrocknungen auf.

7. Juni 1993. 1 120 m (siehe Seite 141).
Eine Herde wurde in einem sehr feuchten Gebiet von einem Blitz getötet. Er ist in die Esche eingeschlagen und hat sich dann teilweise entlang des Stacheldrahts ausgebreitet. Die linke Kuh wurde ohne Zweifel durch Schrittspannung getötet (siehe Seite 153). Diese zwei Fotos verdeutlichen, daß auch eine weniger stark entwickelte Vegetation von Blitzen getroffen wird.

## 146 Vollständige Zerstörung einer Tanne

13. September 1986. 137 m.

Hier zeigt sich das Ergebnis eines Blitzeinschlags in eine 30 m hohe Tanne zu Beginn eines trockenen Gewitters. Der Strom drang in die Holzmaserung ein und der Baum zerbarst in alle Richtungen. Einige mehrere Kilogramm schwere Teile wurden über 100 m von der Einschlagstelle fortgeschleudert. Die Gefahr eines Blitzeinschlags in sehr hohe Bäume ist offensichtlich. Glücklicherweise verursachen nur außergewöhnlich starke Blitzeinschläge solche Schäden. Meistens weisen die getroffenen Bäume nur leichte Schrammen oder Austrocknungen des Blattwerks auf.

In seltenen Fällen breitet sich der Blitzstrahl auch von einem Baum zum nächsten aus. Solch ein extremer Fall zerstörte 1972 in Florida Zitronenbäume. Mindestens vier außergewöhnlich starke Blitze breiteten sich über 3 255 Bäume aus, zehn Monate später waren 2 327 davon abgestorben.

## Auswirkung eines Blitzeinschlags in eine Panoramatafel

Zerstörung einer Panoramatafel auf einer Bergspitze (2327 m). Ein Blitzeinschlag von außerordentlicher Intensität erschütterte das Monument und verursachte beträchtliche Sprünge im Betonsockel und in der Basalttafel. Man kann sich vorstellen, welcher Gefahr man während eines Gewitters auf Berggipfeln ausgesetzt ist.

5. November 1994. Straßenschlucht.
Die beiden Fotos verdeutlichen, welche Gefahr von tief eingeschnittenen Straßen während eines heftigen Gewitters ausgeht. Insbesondere sintflutartige Regenfälle richten große Verheerungen an. Herabstürzende Felsbrocken verursachen jedes Jahr tödliche Unfälle (siehe Seiten 32, 100, 149, 150).

# Gefahren durch strömenden Gewitterregen

5. November 1994. Straße in einem Mittelgebirge.
Das tosende Wasser eines plötzlich über seine Ufer tretenden Flusses beschädigt auch Straßenränder. Wenn ein Autofahrer aufgrund des schlammigen Wassers die Straßenschäden übersieht, kann das Auto umstürzen und vom Hochwasser mitgerissen werden.

Dieser Erdrutsch wurde durch heftige Gewitterregen verursacht. Felsbrocken versperren die Straße vollständig (siehe Seiten 32, 100, 148, 150).

# 150 Bildung einer Wasserstauung

5. November 1994. Fluß in einem Bergtal.
Dieses aufsehenerregende Hochwasser ist auf heftige Gewitterschauer zurückzuführen, die am Vortag der Aufnahme einsetzten und bis zum Ende der folgenden Nacht andauerten. Eine Wasserstauung entsteht, wenn das tosende Wasser Äste oder große Gegenstände (Tanks oder Wohnwagen) mit sich reißt, die sich dann unter den Brücken anhäufen und das Wasser stauen. Hier übersteigt der Wasserstand die Brückenbogen und ist dabei, die Brücke zu überschwemmen (9 m oberhalb des normalen Wasserstands). Dies ist der Moment, in dem der Druck die Brücke brechen oder ein Loch in die Uferböschung reißen kann. Bei geringem Höhenunterschied des Flußlaufs kann die Brücke standhalten und falls sie nachgibt, ist die Welle nicht sehr ausgeprägt. Im entgegengesetzten Fall nimmt die Brücke eine Sperrfunktion ein. Stürzt sie ein, so reißt die brechende Welle alles auf ihrem Weg mit. Wasserstauungen können sich auch vor natürlichen Sperren bilden, insbesondere in tief eingeschnittenen Tälern. Wenn der Wasserstand eine gewisse Höhe erreicht, ist es ratsam, Brücken nicht zu überqueren. Da das Gewicht eines Autos bei einem Hochwasser unbedeutend ist, kann das Fahren auf einer überschwemmten Brücke oder Straße verhängnisvoll sein (siehe Seiten 32, 100, 148, 149).

# Vorsichtsmaßnahmen bei Gewitter



## Campingplätze und Wandergebiete

Jedes Jahr, insbesondere während der Hitzeperiode, wirken sehr heftige Gewitter auf weite Teile Europas ein und verursachen zahlreiche, zum Teil katastrophale, Schäden.
Campingplätze sind diesbezüglich aus den folgenden drei Gründen am stärksten betroffen:

- Unsichere Behausungen
- Die Landschaftselemente weisen eine geringe Widerstandskraft gegenüber plötzlichen Veränderungen auf (Überschwemmung der Flußläufe, Beschädigung der Vegetationsdecke...).
- Freie Landschaften begünstigen die Entwicklung mächtiger Cumulonimben.

Bekanntlich beeinflußen bestimmte Täler die Entstehung und Intensität heftiger Gewitter. Die Gründe hierfür sind vielfältig, sie waren jedoch noch nie Gegenstand intensiver Studien (Stauung warmer, feuchter Luft, günstige geographische Bedingungen für die Gewitterbildung, geologische Heterogenität, Vegetationsvielfalt und die Unebenheit des Reliefs fördern die thermische Konvektion...). Da diese Gegenden für den Tourismus sehr attraktiv sind (tief eingeschnittene Flußtäler, umgeben von einer Vegetationsvielfalt), erstaunt es nicht, daß sich dort regelmäßig Katastrophen mit zahlreichen Opfern abspielen, da die Gewitterzeit zufällig mit der Hauptsaison des Tourismus' zusammenfällt.
Welchen Gefahren setzen sich Camper und Wanderer während eines Gewitters aus?

### Täler und Schluchten

1. Hagel, der trotz seiner verheerenden Wirkung die geringste Todesgefahr birgt.
2. Schwammlawinen bei steilen Gefällen.
3. Plötzliche Überschwemmungen des Flußlaufs (Bildung natürlicher Sperren in tief eingeschnittenen Tälern, Wasserstauungen...).
4. Heftige Windböen können schwere Äste abreißen oder Bäume spalten (insbesondere Pappeln). Letzteres wirkt sich in großen, weiten Tälern oder hügeligen Gebieten besonders zerstörerisch aus.
5. Blitzeinschlag, dessen Risiko sich in der Nähe von Flüssen und Wasserflächen erhöht (die leitende Vegetation des Geländes begünstigt den Blitzeinschlag).

*Wie schützt man sich?*
- Verfolgen Sie die Wetterberichte und treffen Sie notwendige Vorsichtsmaßnahmen bei Hinweisen auf heftige Gewitter (Vermeiden Sie Bäume und Flüsse).
- Beobachten Sie die Annäherung des Gewitters, seine Richtung, den Blitztyp und die Wolkenstruktur, um die Bedeutung der Gewitterphänomene abzuschätzen.

- Halten Sie sich von Orten fern, die für einen Blitzeinschlag anfällig sind.
- Beobachten Sie die Intensität und Dauer der Niederschläge sowie den Wasserstand der Flüsse (siehe Seite 128, 129).
- Beobachten die Gewitter stromaufwärts über den höhergelegenen Reliefs (auch in der Ferne). Bei dauerhaften und heftigen Niederschlägen kann ein Gewitter über einer Gegend innerhalb einer Stunde Hochwasser hervorrufen.
- Beobachten Sie auch die Anzeichen von starkem Wind, halten Sie sich nicht unter Bäumen auf, ziehen Sie sich in solide Bauten zurück, wenn sich die Böen verstärken (siehe Seite 93, 95, 96, 113, 114, 115, 127, 128, 129).

## Seen und Wasserflächen

Die häufigsten Unfälle sind auf Blitzschläge und Wind zurückzuführen.

1. Das Risiko eines Blitzeinschlags erhöht sich in der Umgebung von Wasserflächen, da das Gelände sehr gut leitet, sowie über Gewässern. Vor allem Spaziergänger und Fischer (insbesondere mit Angelruten aus Kohlefasern) werden in unmittelbarer Nähe der Seen vom Blitz getroffen. Boote, Surfbretter oder sogar Tretboote sind häufige Einschlagsstellen auf dem Wasser.
2. Durch die Wärmeunterschiede zwischen dem Wasser und den Ufern erhöht sich das Risiko stürmischer Gewitterwinde. Wenn die Wolkenbasen ziemlich nahe dem Gewässer sind, bildet sich manchmal eine Windhose.

*Wie schützt man sich?*

Halten Sie sich – wie bereits geschildert – von Bäumen und Flußufern fern und überwachen Sie die Anzeichen von heftigen Winden (siehe Seite 93, 95, 96, 113-115, 127-129).

## Meeresküsten

Die Kriterien ähneln den oben angegebenen. An der Küste können die Fronten mit voller Wucht eintreffen, die Gefahr liegt einerseits im Blitzschlag in die ersten Geländeerhebungen in unmittelbarer Nähe des Strandes sowie andererseits in den heftigen Böenfronten, die am Küstensaum Bäume umknicken können.

## Wälder

Der Wind stellt eindeutig die am stärksten zu befürchtende Gefahr dar, gefolgt vom Blitz. Das Studium von Videofilmen sowie die Spuren der Blitzschläge in Bäume scheinen zu beweisen, daß das Einschlagsrisiko am Waldrand größer ist als im Waldinneren. Dort verzeichnen die überdurchschnittlich hohen Bäume die meisten Blitzschlagsnarben. Auch die Bäume am Rand von Waldlichtungen und -wegen werden offenbar häufiger vom Blitz getroffen.

*Wie schützt man sich?*

Suchen Sie abseits der großen Bäume im Dickicht Unterschlupf und nehmen Sie die auf Seite 153 angegebene Position ein.

## Gebirge und kahle Hochebenen

In großer Höhe geht vom Blitz die größte Gefahr aus. Das Risiko steigt durch die schwache Leitfähigkeit der Felsen. In der warmen Jahreszeit empfiehlt es sich, sehr aufmerksam die Wetterberichte zu verfolgen. Bereits die Vorhersage von „leichten Gewitterrisiken über den höher gelegenen Gebieten" oder „einigen Donnerschlägen in den Gebirgen" bedeutet eine extreme Gefahr für Camper oder Wanderer (lokale, trockene, aber sehr elektrische Gewitter). Während eines starken Gewitters wird ein auf einer kahlen Hochebene aufgestelltes Zelt zu einem bevorzugten Zielpunkt für Blitzschläge, die geringste Unebenheit verstärkt das elektrische Feld. Im Fall eines direkten Blitzschlags bietet ein Zelt mit nasser Außenhaut einen größeren Schutz als ein trockenes Zelt, da die Chance besteht, daß der Blitzstrom in den Erdboden abfließt.

*Wie schützt man sich?*
Stellen Sie das Zelt nicht in der Nähe von feuchten Gräben, Bächen und Zäunen auf. In der Praxis ist das Anbringen einer Kartoffel auf jedem Zeltpflock gebräuchlich, um den „Bergspitzen-Effekt" zu neutralisieren. Man muß wissen, daß der Verlauf eines einmal eingeleiteten, absteigenden Blitzschlags irreversibel ist. Selbst wenn er nicht in einen Zeltpflock einschlägt, kann er das Zelttuch treffen. Obwohl diese Hypothese inzwischen umstritten ist, scheint es sinnvoll, größere Metallgegenstände in einigen Dutzend Metern Entfernung anzuhäufen, um so eine Ableitung des Einschlags herbeizuführen. Selbst im Zelt sollte man die unten angegebene Position einnehmen. Bei einem drohenden Gewitter ist es jedoch am klügsten, zu einem sicheren Schutz oder in den nächsten Ort zurückzukehren (Vermeiden Sie Holz- oder Steinhütten mit Blechdächern).

## Empfohlene Position, wenn man von einem Gewitter überrascht wird.

Theoretisch sollten sich gefährdete Personen mit gesenktem Kopf und angezogenen Armen und Beinen hinsetzen oder hinhocken und die Hände über dem Kopf zusammenschlagen. Auf diese Weise bildet man eine einheitliche Masse und vermeidet eventuelle Spannungsunterschiede. Diese Position kann bei einem sich nähernden Blitz das Leben retten, sie schließt aber keinen Einschlag aus. In widerstandsfähigem Gelände (Graphit...) breitet sich der Strom um die Einschlagsstelle herum aus. Diese Erdströme können sich teilweise auch einige hundert Meter von der Einschlagsstelle entfernt fortsetzen. Mit gespreizten Beinen baut man einen Spannungsunterschied von einem Fuß zum anderen auf, folglich würde jede Bewegung des Beines mit hohem Potential zum Bein mit niedrigem Potential die Gefahr der Tötung durch Schrittspannung erhöhen (siehe Seite 145). Die oben genannte Position schwächt diese Unfallart ab. Abgesehen von massiven Bauten bieten Metallfahrzeuge den sichersten Schutz. Im Fall eines direkten, sehr intensiven Blitzschlags ist ihre Schutzfunktion jedoch auch mehr als fraglich. Es gibt einige Fälle von getroffenen Autos, deren Insassen starben.

## Alpinismus

In großen Höhen ist es noch schwieriger sich zu schützen. Wenn möglich, sollte man Bergkämme, Grate und Gipfel vermeiden und sich mit aneinandergepreßten Füßen abseilen. Metallgegenstände sind im Rucksack unterzubringen, um eine mögliche Auslösung eines aufsteigenden Blitzes vorzubeugen. Das Tragen einen Helms ist empfehlenswert, um sich vor Steinschlägen und einem Aufprall gegen die Felswände zu schützen, falls der Blitz in der Nähe einschlägt.
Sicher festgebunden kann der Alpinist in einer bedrohlichen Lage einem tödlichen Steinschlag entgehen. Vermeiden Sie die Nähe von Felswänden und Verwerfungen.
Oft wird geraten, trockene Kleidung zu tragen und sich auf gut isolierenden Materialien in Warteposition zu begeben. Es ist unbestritten, daß man durch eine gute Isolierung vom Boden die Gefahr der durch einen Blitzeinschlag ausgelösten Schrittspannung verringern kann. Paradoxerweise ist die Wirkung des Blitzstromes im Fall eines direkten Blitzeinschlags um so zerstörerischer, je schwächer man leitet und je besser man vom Boden isoliert ist (der Strom breitet sich bei einem feuchten Untergrund schneller aus). Bezüglich dieser These kann daher kein Rat gegeben werden.
Selbst in der Nacht empfiehlt es sich Brillen zu tragen, um sich bei einem zu nahem Blitz vor Blindheit zu schützen.

## Segelsport

Die Gefahr des Wassersports während eines Gewitters ist bereits weiter oben angeschnitten worden. Über dem Meer können sehr heftige Gewitter eine nicht abzustreitende Gefahr darstellen. Insbesondere Segelschiffe sind mit ihren Masten eine bevorzugte Einschlagsstelle für Blitze. Im Inneren eines vollständig metallenen Schiffes sind die Insassen relativ sicher, es können jedoch Schäden in den elektronischen Geräten auftreten. Im Falle eines Blitzschlags breitet sich der Strom entlang des Rumpfes aus und verschwindet im Meer.
Wenn das Boot aus nicht leitenden Materialien gebaut ist, erhöht sich das Risiko zerstörerischer Blitzschläge (Zerstörung des Mastes, Löcher im Rumpf, einige Holzschiffe zerbrechen regelrecht in zwei Teile...). Über dem Meer scheinen die positiv geladene Blitze von hoher Intensität zu überwiegen, insbesondere während der Wintergewitter. Wenn das Schiff nicht mit einem Blitzableiter ausgestattet ist, der den Blitz ins Meer weiterleitet, ist es ratsam, sich einen anzuschaffen. Im schlimmsten Fall, wenn der Mast aus Metall ist, kann man ihn mit einer Kette umgeben, die man ins Meer fallen läßt. Wenn der Mast aus Holz ist, muß man die Wanten miteinander verbinden und sie dann

an einer Kette befestigen, die man ebenfalls ins Meer wirft. Abgesehen von den Gefahren der Blitze, muß man Böenlinien fürchten, die sehr stürmische Winde verursachen sowie Windhosen, die manchmal über dem Mittelmeer entstehen. 

Zusammenfassend ist zu beachten, daß von schweren Gewittern zahlreiche Gefahren ausgehen, sie sind die Ursache sintflutartiger Regenfälle und Böenfronten. Autofahrer müssen sich insbesondere vor tief eingeschnittenen Straßen in acht nehmen (Wasserstauungen, Steinschläge, Erdrutsche...), steilen Berghängen mit lockerer Erde entlang neuerer Straßen (Erdrutsche), Hangstraßen (Steinschläge und Einstürze von Straßenrändern) und von großen Bäumen umsäumte Straßen (Spaltungen und Entwurzelungen durch Böen).

## Glossar

**Advektion:** horizontale Zufuhr von Luftmassen

**Antizyklone:** Hochdruckgebiet (meistens über 1 015 hPa) mit dem höchsten Druckwert im Zentrum und absinkenden Luftbewegungen sowie im Uhrzeigersinn ausströmenden Winden (auf der Nordhalbkugel).

**Barometrischer Sumpf:** Einheitliche Luftmasse mit geringen Luftdruckgegensätzen, deren Isobaren sehr weit auseinander liegen und in der manchmal kleine thermische Depressionen entstehen, die Gewitter hervorrufen.

**Bewölkung:** Verhältnis zwischen der gesamten und der mit Wolken bedeckten Himmelsfläche oberhalb eines Ortes.

**Blitzschlag:** Erdblitz; elektrische Entladungen zwischen der Wolke und dem Erdboden gleichen die Spannungsunterschiede zwischen der Atmosphäre und dem Erdboden aus.

**Böenfront:** Plötzlicher und manchmal heftiger Wind, hervorgerufen durch die aus einer Cumulonimbus im Reifestadium absteigende Strömung. Sie geht im allgemeinen einer Niederschlagswand und Blitzschlägen voraus und ist oft für zerstörerische Winde verantwortlich.

**Böenlinie:** Linienförmige Anordnung von Cumulonimben mit schneller Verlagerung, die oft von intensiven Gewittererphänomenen begleitet wird. Sie entsteht am häufigsten an Kaltfronten oder sekundären Kaltfronten.

**Depression:** Tiefdruckgebiet mit vom Rand zum Zentrum hin zunehmendem Druck, der im allgemeinen unter 1 015 hPa liegt, sowie gegen den Uhrzeigersinn einströmenden Winden (auf der Nordhalbkugel).

**Fallböe:** Abwärts gerichtete, kräftige Luftströmung, die den Konvektionsprozeß hemmt.

**Föhneffekt:** Austrocknung einer Luftmasse durch warmen und trockenen Südwind.

**Front:** Grenze zwischen zwei unterschiedlich warmen und feuchten Luftmassen.

**Hochdruckrücken:** Von einem Hochdruckgebiet ausgehende, lang gestreckte Zone hohen Luftdrucks.

**hPA (Hektopascal):** Einheit des Luftdrucks. Die Grenze zwischen Hoch- und Tiefdruckgebiet liegt bei 1 015 hPa. Beispiel: 1 025 hPa entspricht einem sehr hohen Druck, 1 005 hPa.

 **Inversion:** innerhalb einer Luftschicht nimmt die Temperatur mit der Höhe zu, konvektive Prozesse werden unterbunden.

**Isobaren:** Linien gleichen Luftdrucks.

**Kaltfront:** Grenze zwischen warmer und nachfolgender kalter Luftmassen.

**Kaltlufttropfen:** Abgeschlossenes Gebiet sehr kalter Luft im mittleren und oberen Stockwerk (je kälter die Luft ist, um so größer ist bei Warmluft über dem Erdboden das Gewitterrisiko).

**Konvektion:** Vertikales Aufsteigen warmer Luft bei gleichzeitigem Absinken kühlerer Luft in der Umgebung.

**Konvektionszellen:** Grundlegende Bestandteile einer Haufenwolke, in denen Warmluftströme aufsteigen. Ihre Lebensdauer übersteigt selten einige Dutzend Minuten. Im allgemeinen existieren in einer Cumulonimbuswolke mehrere Konvektionszellen nebeneinander, ihre Vielzahl bestimmt die Dauer eines Gewitters.

**Konvergenzlinie:** Linie von Gewittern, die sich in Abwesenheit von Bodenfronten bildet, aber an der Grenze von verschiedenen Luftmassen in höheren Schichten.

**Labile Luft:** Luftmasse, in der die thermischen Austauschvorgänge und Gegensätze mehr oder minder bedeutsame Konvektionsbewegungen erzeugen.

**Luftentladung:** Elektrische Entladung, die von einer Wolke in den Luftraum gerichtet ist. Im Gegensatz zum Blitzschlag erreicht sie jedoch nicht den Erdboden.

**Orographische Wolken:** Durch das Aufsteigen von Warmluft an einem Gebirgshang oder oberhalb einer Erhebung entstehende Wolken.

**Quellwolkenbildung:** Vertikale Entwicklung einer flachen Wolke durch Quellungen von türmchen- oder blumenkohlähnlichem Aussehen.

**Stabile Luft:** Luftmasse unter dem Einfluß hohen Drucks, in der Konvektionsbewegungen unmöglich oder begrenzt sind.

**Störung:** aus einer Kalt- und einer Warmfront bestehendes System.

**Strömung:** Großräumige Verlagerung von Luftmassen.

**Tornado:** Sehr zerstörerischer, räumlich begrenzter Wirbelwind mit mehreren 100 km/h Windgeschwindigkeit im Zentrum.

**Trog:** Langgestreckter Ausläufer eines Tiefdruckgebietes mit sehr dicht beieinander liegenden Isobaren (manchmal auch in der Form eines V).

**Turbulenz:** Thermisch oder dynamisch ausgelöste vertikale Verwirbelung von Luft.

**Warmfront:** Grenze zwischen kalten und nachfolgenden Warmluftmassen.

**Wellenfront:** Front, dessen Vorrücken durch ein Hochdruckgebiet blockiert ist und die lange Gewitterperioden hervorrufen kann.

**Wolkenblitz:** Elektrische Entladung innerhalb einer Gewitterwolke oder zwischen Wolken mit entgegengesetzter Ladung.

## Bibliographie

*Baatz, Herbert:* Mechanismus der Gewitter und Blitze, Berlin, Offenbach, 1985.

*Bont, Gerrit de:* Wolkenatlas, Stuttgart 1987.

*Deutscher Wetterdienst* (Hrsg.): Internationaler Wolkenatlas, Offenbach am Main, 1978

*Deutscher Wetterdienst* (Hrsg.) Regionale Flugklimatologie für die Allgemeine Luftfahrt (RFK/AL) in der Bundesrepublik Deutschland, Offenbach am Main (Loseblattsammlung)

*Hardy, Ralph* u.a.: Einführung in die Wetterkunde, München 1982.

*Heise, Günter:* Wetterkunde: vom Abendrot bis zur Zyklone, Hamburg 1984.

*Karnetzki, Dieter:* Wolken und Wetter, Bielefeld 1992.

*Liljequist, Gösta H.* und *Cehak, Konrad:* Allgemeine Meteorologie, Braunschweig, 1984.

*Mangelsen, Rolf:* Praktische Wetterkunde. Erkennen – Bestimmen – Vorhersagen, Stuttgart, 1986

*Meyers Lexikonredaktion* (Hrsg.): Meyers kleines Lexikon Meteorologie, Mannheim, Wien, Zürich, 1987.

*Meyers Lexikonredaktion* (Hrsg.): Wetter und Klima, Mannheim, Wien, Zürich, 1989.

*Rocznik, Karl:* Kleines Wetterlexikon, Stuttgart, 1984.

*Roth, Günter D.:* Wetterkunde für alle, München, Wien, Zürich, 1994.

*Sönnig, Walter* und *Keidel, Claus G.:* Wolkenbilder – Wettervorhersage, München, Wien, Zürich, 1990.

*Tanck, Hans-Joachim:* Meteorologie – Wetterkunde, Wetteranzeichen, Wetterbeeinflussung, Reinbek, 1985.

*Watts, Alan:* Wolken und Wetter, Bielefeld, 1968.

*Weischet, Wolfgang:* Einführung in die Allgemeine Klimatologie, Stuttgart 1983.

*Wildegger, Reinhold:* Praktisches Wetterlexikon, München 1987.

## Nützliche Adressen

**Deutschland:**
Deutscher Wetterdienst
Frankfurter Straße 135
63067 Offenbach
Telefon: 069/ 80620
Fax: 069/ 80622484

**Schweiz:**
Schweizerische Meteorologische
Zentralanstalt
Krähbühlstraße 58
CH-8044 Zürich
Tel: 0041/1/2569111

**Österreich:**
Zentralanstalt für
Meteorologie und Geodynamik
Hohe Warte 38
A-1190 Wien
Tel: 0043/1/360260
Fax: 0043/1/3685612

# Register